U0262827

信息化助力县域义务教育均衡发展的创新之路

王继新　张伟平　黄红涛◎著

科 学 出 版 社
北 京

内 容 简 介

义务教育均衡发展是我国当前教育发展的战略目标之一。信息技术作为促进义务教育均衡发展的手段，受到了党和国家的高度重视。

本书在对我国当前县域义务教育发展面临的主要问题等进行梳理的基础上，提出了一整套信息化促进县域义务教育均衡发展的解决方案，包括四种实践模式、环境建设规范、数字化课程资源建设规范、投入机制、绩效评估、保障机制等，并对采用这些方案的若干个县域专章进行了案例分析，最后对信息化促进县域义务教育均衡发展进行了理论阐释。

本书适合义务教育均衡发展和教育信息化方面的科研工作者、中小学教育管理者、中小学教师等群体阅读。

图书在版编目（CIP）数据

信息化助力县域义务教育均衡发展的创新之路 / 王继新，张伟平，黄红涛著. —北京：科学出版社，2023.3

ISBN 978-7-03-075059-4

Ⅰ. ①信…　Ⅱ. ①王…　②张…　③黄…　Ⅲ. ①县-地方教育-义务教育-信息化-发展-研究-中国　Ⅳ. ①G522.3

中国国家版本馆 CIP 数据核字（2023）第 039880 号

责任编辑：卢　森　黄雪雯 / 责任校对：张小霞

责任印制：李　彤 / 封面设计：润一文化

科学出版社 出版

北京东黄城根北街 16 号

邮政编码：100717

http://www.sciencep.com

北京虎彩文化传播有限公司 印刷

科学出版社发行　各地新华书店经销

*

2023 年 3 月第　一　版　开本：720×1000　1/16

2023 年 3 月第一次印刷　印张：13 1/4

字数：230 000

定价：99.00 元

（如有印装质量问题，我社负责调换）

前　言

义务教育均衡发展是我国当前教育发展的战略目标之一，中共中央、国务院颁布的《中国教育现代化 2035》中明确提出，要实现优质均衡的义务教育，并在实现县域内义务教育基本均衡基础上进一步推进优质均衡。以互联网为代表的信息技术在帮助农村地区学校和教师共享优质教育资源方面具有独特的价值和作用，在促进义务教育均衡发展方面受到了党和国家的高度重视。党的十八届三中全会通过的《中共中央关于全面深化改革若干重大问题的决定》提出，构建利用信息化手段扩大优质教育资源覆盖面的有效机制，逐步缩小区域、城乡、校际差距。2018 年，教育部在《教育信息化 2.0 行动计划》中提出“将教育信息化作为教育系统性变革的内生变量，支撑引领教育现代化发展”。当前，我国对义务教育采取的是在国务院领导下由地方政府负责、分级管理、以县为主的管理体制，县级政府对县域内义务教育负主要责任，包括抓好中小学的规划、布局调整、建设和管理，统一发放教职工工资，以及中小学校长、教师的管理，指导学校教育教学工作。这就决定了国家级的宏观教育政策和省市级的中观教育政策最终需要通过县级政府和教育主管部门来贯彻落实。因此，探讨利用信息化手段提升教育质量，对于贯彻落实国家有关政策、实现县域内义务教育均衡发展具有十分重要的现实意义。

2013 年起，华中师范大学信息化与基础教育均衡发展协同创新中心研究团队在华中、东北、西南、西北、华北等地开展了调研，全面了解了我国县域义务教育现状，足迹遍布湖北、吉林、辽宁、云南、四川、甘肃、宁夏、河南、湖南等二十余个省级行政地区的百余个县域地区。通过对县域地区教育局、学校进行调查，以访谈、座谈、问卷调查等方式获取第一手调研材料，通过对材料的深入分析，全面把握我国县域义务教育状况，梳理义务教育均衡发展面临的问题。在此基础上，研究团队于 2014 年起，相继在湖北省咸宁市的咸安区、崇阳县，吉林省的长白朝鲜族自治县（简称长白县）等地建立实验区，开展教育信息化实践。当地教育局与本研究团队合作，采取本团队设计的方案开展实践，以专递课堂的方式将优质学校教师授课视频同步到农村教学点，帮助农村教学点解决音乐、美术、英语等课程开不齐、开不好的问题。研究团队通过对各地教育信息化的实践活动进行总结和提炼，将包括咸安、崇阳、长白及其他多个地区的教育信息化实践模式概括为双轨制数字学校模式、城乡互助双师模式、有组织的慕课模式、适切性数字资源全覆盖模式四种类型，同时对信息化支持的县域义务教育优质均衡发展的环境建设规范、小学段数字化课程资源建设规范、投入机制、绩效评估、保障机制、教师信息化教学素养结构模型、教学能力培训体系等进行了研究，总结出了一套适合我国的信息化促进县域义务教育均衡发展的方案，然后将这套方案再应用到实验区，对实践效果进行观测和评价，并从理论的视角进行阐述。

目　录

第一章　义务教育均衡发展的基本理论

第一节　义务教育均衡发展的含义

义务教育均衡发展，是指义务教育的发展无论在数量特征上还是在质的规定性上，都体现出平衡的特点。它不仅是一个静态的发展结果平衡，更是一个动态的发展过程平衡。①

义务教育均衡发展的意旨在于“质的范畴”，而非“量的范畴”，即不是单纯追求统计意义上的数量绝对均等，而是突出“衡”。“均”不是目的，“衡”才是本质。

具体而言，我国的义务教育均衡发展，是指我国不同地区之间、同一地区不同学校之间、同一学校不同群体之间的教育均衡发展问题，包括三个层面：区域之间（地区和城乡之间）的均衡发展；学校之间（同一区域内不同学校之间）的均衡发展，这是实现区域教育均衡发展的基础和前提；群体之间（不同学生群体之间尤其是弱势群体）的均衡发展。

① 柳海民，周霖. 义务教育均衡发展的理论与对策研究[M]. 长春：东北师范大学出版社，2007：9.

第二节 义务教育均衡发展的实质

义务教育均衡发展的实质是义务教育资源的均衡配置。在义务教育发展过程中，由政府主导的社会各方积极参与教育资源（师资、生源、物力、财力、教育结构、教育环境等）相对公平和合理的分配。在社会主义条件下，义务教育资源的均衡配置体现为政府根据最广大人民群众的利益，对有限教育资源进行科学合理调配，以获取最佳教育质量与效率，从而保证每一个适龄儿童能享受平等的教育。

教育发展的差异是绝对的、长期存在的，从这个意义上说，不均衡发展是绝对的，均衡发展是一种理想化的追求和愿景。因此，义务教育均衡发展是手段，而非目的。提出义务教育均衡发展，是为了办好义务教育阶段的每一所学校，追求的是为了公平、高效、优质的理想义务教育而努力的过程。不同历史时期，均衡发展会有不同的理解和标准。

第三节 义务教育均衡发展的价值取向

价值取向是价值哲学的重要范畴，指的是主体基于自己的价值观在面对或处理各种矛盾、冲突、关系时所持的基本立场、态度。价值取向的突出作用是决定、支配主体的价值选择，对主体自身、主体间关系、其他主体均有重大影响。

探讨义务教育均衡发展的价值取向意在明晰义务教育均衡发展的理论价值与实践意义。义务教育均衡发展的价值取向主要体现在以下几个方面：实现教育公平；促进社会公平和正义；构建基于科学发展观的和谐社会。①

---

① 柳海民，周霖. 义务教育均衡发展的理论与对策研究[M]. 长春：东北师范大学出版社，2007：12-20.

（一）实现教育公平

按照瑞典教育学家胡森的理论，教育公平包括教育起点公平、教育过程公平和教育结果公平三个层面。教育起点公平指每个人不受任何歧视开始其学习生涯的机会。教育过程公平是中间阶段的公平，主要指以各种不同但都以平等为基础的方式对待每一个人。教育结果公平是教育成功机会和效果的相对均等，指的是学业成就上的公平。[①]

教育起点公平意义上的义务教育均衡发展，意味着所有儿童享有平等地接受教育的机会和权利，是教育公平中最低层次的要求。教育过程公平意义上的义务教育均衡发展，意味着所有儿童在教育制度、教育方式上受到同等的对待。教育结果公平意义上的义务教育均衡发展，意味着所有儿童有同等的学业成就。

教育公平是全世界共同接受的普世价值观，其精神在国际权威文献中也有所体现，如《世界人权宣言》《经济、社会及文化权利国际公约》《公民权利和政治权利国际公约》《儿童权利公约》四份文件均明确承认并确认受教育权作为基本人权，是人人应当享有的权利。再如，联合国教育、科学及文化组织（简称联合国教科文组织）自成立之日起，就非常关注发展中国家，关心贫困、发展等问题[②]，发布了一系列全球教育政策、教育报告和会议文件等，如 1990 年的《世界全民教育宣言》、2000 年的《达喀尔行动纲领》、2002 年开始每年出版一份的“全民教育全球监测报告”、2015 年的《教育 2030 行动框架》等，均关注教育中的“平等”与“全纳”，对教育公平研究具有重要影响。[③]成立于 1961 年的经济合作与发展组织同样高度重视教育公平问题，关注个体的教育机会，重视教育的社会前景，以

---

① 张意丽，李贞，梁华定，等. 试论我国教育结果公平的立足点与致力重点[J]. 山西农业大学学报(社会科学版)，2014，13(4)：357-362.

② 窦卫霖. 关于 UNESCO 和 OECD 教育公平话语分析[J]. 华东师范大学学报(哲学社会科学版)，2013，45(4)：81-86，154.

③ West M, Chew H C. Reading in the Mobile Era: A Study of Mobile Reading in Developing Countries[M]. Paris: UNESCO, 2014.

及教育公平对促进个体生产力和国民经济发展的作用[1]，并于 20 世纪 60—90 年代，发布了一系列有关教育公平的重要文献，如 1971 年的《平等教育机会》、1988 年的《残疾青年：走向成人的权利》等。

（二）促进社会公平和正义

义务教育均衡发展是社会公平的重要组成部分，与整个社会其他公平相互联系、相互制约、相互影响。社会公平是一个综合性的概念，涉及社会、经济、政治、法律、伦理、道德和教育等多个领域。其基本内容包括以下几方面。

第一，切实保证社会成员的基本权利。义务教育均衡发展意味着全体社会成员享有同等的受教育权。保证受教育权的平等，能够让社会发展的成果惠及绝大多数社会成员，真正提升社会发展质量，有效扩大内需，为经济发展提供持续动力，最终使人民群众积极认同改革，认同发展。

第二，确立机会平等的原则。义务教育均衡发展意味着全体社会成员在教育方式和内容方面享受同等的对待，最终有同等的机会参与社会竞争，享有大致相同的发展机会。

第三，建立社会调剂的规则。社会发展的基本宗旨应当是社会发展成果人人共享，普遍受益，即惠及绝大多数社会成员。对于弱势群体而言，义务教育均衡发展是一种调剂手段，通过它来改变自己处于的利益分配不利地位，从而更好地享受社会发展成果。立足于社会整体利益，对一次性分配后的利益格局进行必要调整，有利于社会成员不断得到由发展带来的利益，进而不断提高社会生活质量。[2]

（三）构建基于科学发展观的和谐社会

教育机会均等和教育的公平性要求从科学发展观的角度促进义务教育均

---

① 罗晓静. OECD 教育公平政策探析——兼论对中国教育的影响[D]. 华东师范大学，2010.
② 吴忠民. 论公正的社会调剂原则[J]. 社会学研究，2002(6)：108-118.

衡发展。科学发展观的核心是以人为本，要求重视人类的基本需求[①]，这一点与义务教育均衡发展的诉求是一致的，因此均衡发展成为构建基于科学发展观的和谐社会的重要基石。

科学发展观，是一种以人为本的发展观，不仅体现科学理性，而且体现人文关怀。坚持以人为本，就是坚持把依靠人作为发展的根本前提，把提高人作为发展的根本途径，把尊重人作为发展的根本准则，把为了人作为发展的根本目的。科学发展观的基本要求是全面协调可持续。坚持全面发展，就是以经济建设为中心，推进经济建设、政治建设、文化建设、社会建设共同进步，推进物质文明、政治文明、精神文明、生态文明共同发展，在实现社会全面进步中促进人的全面发展。坚持协调发展，就是要使各个地区、各个部门、各个领域比例适当、结构合理、相互促进、良性运行，统筹城乡发展、区域发展、经济社会协调发展、人与自然和谐发展、国内发展与对外开放，推进生产力和生产关系、经济基础和上层建筑相协调，推进经济、政治、文化、社会建设的各个环节和各个方面相协调。坚持可持续发展，就是要使经济发展与人口资源环境相协调，人与自然相和谐，发展循环经济，建设资源节约型国家、环境友好型国家，走生产发展、生活富裕、生态良好的文明发展道路。[②]

和谐社会是社会资源兼容共生的社会：一是个人自身的和谐；二是人与人之间的和谐；三是社会各系统、各阶层之间的和谐；四是个人、社会与自然之间的和谐；五是整个国家与外部世界的和谐。社会主义和谐社会是一个以人为本的社会。以人为本，就是要推进人的全面发展，真正把人放在社会主体地位。以人为本的科学发展观的提出，体现了我国社会主义的本质和当前我国经济社会发展的迫切要求，也体现了当代人类社会发展进步的必然趋势。坚持以人为本，才能更好地激发人们的创造活力。人是发展先进生产力和先进文化的主体，又是先进生产力和先进文化发展的最终受益者。物质、文化条件越充分，就越能促进人的全面发展。

---

① 科学发展观是发展中国特色社会主义必须坚持和贯彻的重大战略思想[EB/OL]. http://www.ce.cn/xwzx/gnsz/szyw/200711/07/t20071107_13509627.shtml，2007-11-07/2022-09-04.

② 科学发展观核心是以人为本[N]. 人民日报，2007-11-13(002).

义务教育均衡发展的主要目的，正是在科学发展观的指引下，走向教育和谐，为构建和谐社会贡献教育之力。[①]当代中国社会，正处于从传统型社会向现代型社会快速转型的历史进程中[②]，逐步消除不和谐因素变得艰巨和困难。唯有建立和谐社会，达成并存互构、协商对话、平等互惠、强弱共赢，才是现代社会的必然选择。关注弱势群体是全面建设和谐社会的内在需要，义务教育均衡发展正是这一需要的实际体现。

第一，通过义务教育均衡发展让弱势群体接受与其他群体同等的教育，从而获得改变命运的机会。按照布迪厄的文化再生产理论，教育具有文化再生产的功能。学校通过符号暴力，实现文化再生产。[③]教育的文化是统治阶级的文化，所以在统治阶级文化背景中长大的儿童显然在教育中处于有利的地位，被赋予更多的文化资本。不同阶级出身的孩子享受的教育是不同的，不同的学校教育又强化了不同阶级文化资本的差异。文化资本被制度认可后变成了一种资格，优势阶级则通过把自己的文化资本转化为子女的文化资本，让其获得教育证书，从而确保其子女的优势地位。

义务教育均衡发展追求的是同等教育，而非差异化教育。均衡的义务教育使处于弱势家庭地位的学生有机会在同等的条件和环境下，完成与其他家庭同等的文化再生产，从而为同等的社会再生产创造条件。

第二，通过义务教育均衡发展助推教育精准扶贫，阻断贫困的代际传递。十八大以来，党中央高度重视扶贫工作，提出了“扶贫先扶志”“扶贫必扶智”等重要论断。十九大报告明确提出坚决打赢脱贫攻坚战，要求坚持精准扶贫、精准脱贫，坚持大扶贫格局，注重扶贫同扶志、扶智相结合。教育是“扶志”与“扶智”的根本手段，教育扶贫是阻断贫困代际传递的根本途径。教育扶贫包含两个层面的内涵：一是“扶教育的贫困”，即对贫困地区和贫困家庭的孩子进行教育层面的扶助，使他们享有公平接受优质教育的

① 刘新成，苏尚锋. 义务教育均衡发展的三重意蕴及其超越性[J]. 教育研究，2010，31(5)：28-33.

② 柳海民，林丹. 本体论域的义务教育均衡发展[J]. 东北师大学报，2005(5)：11-18.

③ 俎媛媛. 我国教育的城乡差异研究——一种文化再生产的视角[J]. 教育理论与实践，2006(19)：22-25.

机会和条件。这一点与义务教育均衡发展的宗旨相契合。二是“以教育扶整体的贫困”，从这一层面来看，教育实际是实现贫困人口和贫困人群“内生性”脱贫的根本手段，一方面可以转变贫困人群的观念，使他们具有“内生性”脱贫的意愿、意识、信念和毅力；另一方面可以使他们具有参与市场经济的知识、能力、方法和手段，从而实现脱贫，走向富裕。[①]

第四节　义务教育均衡发展的类型

（一）义务教育内涵均衡发展

义务教育内涵均衡发展的核心是“人的全面发展”。[②]教育通过促进人的全面发展来促进社会的全面进步，并最终为人的发展服务。

教育活动具有鲜明的价值取向，决定了它不仅仅要教人以知识，也要教人以道义，还要教人以智慧，以促进人的全面发展为其根本职责。因此，衡量义务教育是否达到了均衡发展，内涵的维度不可或缺。人的全面发展是教育均衡发展的核心，这在我国的教育方针和教育法律中也有明确的规定。《中华人民共和国义务教育法》明确指出：“义务教育必须贯彻国家的教育方针，实施素质教育，提高教育质量，使适龄儿童、少年在品德、智力、体质等方面全面发展，为培养有理想、有道德、有文化、有纪律的社会主义建设者和接班人奠定基础。”

人的全面发展主要包括人的完整发展、人的充分发展、人的自由发展。人的完整发展，指人的身心共同发展，即身体、心理和精神的发展。人的充分发展就是人自身所具有的潜能、潜质都能得到充分的发掘、发挥。教育对人的充分发展的促进作用体现在尊重、保护人的天赋倾向性，使教育按照个

① 任友群，郑旭东，冯仰存. 教育信息化：推进贫困县域教育精准扶贫的一种有效途径[J]. 中国远程教育，2017(5)：51-56.

② 柳海民，周霖. 义务教育均衡发展的理论与对策研究[M]. 长春：东北师范大学出版社，2007：34.

体自身情况来进行，成为个体天赋才能发展的加速器。人的自由发展就是发展要有主体性，体现个人的愿望和选择，而非被动的、受强制的。义务教育内涵均衡发展，意味着人的完整发展、充分发展和自由发展。

（二）义务教育类别均衡发展

教育类别是指根据某一标准划分的教育种类。根据教育对象特征的不同，主要类别有男童教育与女童教育、汉族教育与少数民族教育、普通教育与特殊教育等。义务教育类别的均衡发展，能够保障不同类别的受教育者享受平等的教育机会和教育资源，进而保障全体公民受教育权的充分实现。

与其他类别的教育相比，女童教育、少数民族教育、特殊教育一般具有办学成本高、投入大的特点，曾是普及九年义务教育的难点。在推进义务教育普及的进程中，我国对这些类别的教育给予了政策倾斜和财政支持，取得了很大的成就。但义务教育类别均衡发展仍存在一些问题，主要表现在以下两方面。

特殊教育与普通教育的失衡。特殊教育发展较迟滞，与普通教育存在较大差距。第一，教育机会和教学过程不平等。现阶段，我国对有特殊需求的儿童各方面的支持力度仍有待提升，这就使得这些儿童在教育过程中容易面临不公平的待遇。第二，相对特殊教育的发展需求来说，特殊教育的经费收入明显不足。有研究表明，特殊教育学校的生均培养经费远远高于普通中小学生的生均培养经费。①与普通学校相比，特殊教育学校在校生少，班额较小，收取的杂费很难维持其正常开支，加之残疾学生的家庭大多较贫困，不少学校还得对特困生减免杂费甚至进行生活费补助，因此特殊教育学校的经费负担较为沉重。第三，特殊教育机构的设置和布局不合理。特殊教育的资源要素既包括校舍、教室、教学设备等硬件要素，也包括师资数量和质量等软件要素。然而，当前我国的特殊教育资源较匮乏，条件较好、教师素质高

---

① 刘晓华．特殊教育需要特别关爱[EB/OL]．https://www.gmw.cn/01gmrb/200001/22/GB/01%5E18309%5E3%5EGMA3-215.htm，2001-01-22/2017-02-08.

的特殊教育学校大多在大城市，农村和偏远地区的特殊教育学校数量少、办学条件差，特殊教育资源分配不均衡。

少数民族义务教育与汉族义务教育的差距。我国十分重视少数民族义务教育的发展，制定并实施了一系列特殊的政策措施，来促进少数民族义务教育的普及和发展。但由于自然、历史、社会等原因，少数民族义务教育与汉族义务教育之间的发展仍不均衡，表现在义务教育普及率和完成率、人口文化素质、义务教育经费投入等方面。

义务教育在不同教育类别中的失衡给社会、教育系统自身及受教育者的发展都带来了诸多问题，这些问题如果解决不好，必将影响我国全面建成小康社会的进程。

（三）义务教育区域均衡发展

我国地域辽阔，人口众多，不同地区之间在自然地理、人口资源、经济发展和社会发展等方面存在较大差距。由于历史的、现实的、政治的和经济的原因，我国义务教育存在着区域发展不均衡的问题，主要表现在四个方面：第一，东部地区和中西部地区义务教育发展不均衡。东部地区经济较发达，有地方雄厚的财力作保障，义务教育阶段学校的办学条件优越，而中西部地区及边远贫困地区经济较落后，社会发展缓慢，生产生活条件较恶劣，导致办学经费紧缺，义务教育条件薄弱。第二，城市和农村义务教育发展不均衡，表现在教育经费投入、基本办学条件和教育机会等方面。第三，民族地区义务教育发展相对落后。不少民族地区大多地处偏远山区、边疆地区，交通不便，教育发展相对滞后。①第四，同一区域、同一城市学校之间发展不均衡，如超级中学对普通中学的挤压。有研究发现，超级中学教育垄断的提高会显著降低普通高中的教育质量。②

---

① 袁梅，罗正鹏. 建好新型“小微学校”推进偏远民族地区义务教育均衡发展[J]. 民族教育研究，2018，29(4)：83-89.

② 郭丛斌，徐柱柱，张首登. 超级中学：提高抑或降低各省普通高中的教育质量[J]. 教育研究，2021，42(4)：37-51.

我国义务教育经费管理体制决定了不同地区义务教育经费投入存在差距，影响了义务教育均衡发展。2005 年，《国务院关于深化农村义务教育经费保障机制改革的通知》发布，要求逐步将农村义务教育全面纳入公共财政保障范围，建立中央和地方分项目、按比例分担的农村义务教育经费保障机制。2006 年修订《中华人民共和国义务教育法》，2012 年出台《财政部 教育部关于切实加强义务教育经费管理的紧急通知》，2015 年出台《国务院关于进一步完善城乡义务教育经费保障机制的通知》，2019 年出台《教育领域中央与地方财政事权和支出责任划分改革方案》，这些法律和政策文件对农村义务教育投入政策作了进一步规定，最终形成义务教育“经费省级统筹、管理以县为主”的体制。①有数据显示，2005 年《国务院关于深化农村义务教育经费保障机制改革的通知》出台后，我国义务教育经费投入总量迅速增加，但在投入的均衡性方面存在中部塌陷、区域内部不平衡、部分地区义务教育经费投入不足、农村地区义务教育经费投入低于城市地区等问题。②戎乘阳在分析我国 2012—2019 年城市和农村生均教育经费支出数据后发现，2012—2014 年，我国农村的生均教育经费与城市的生均教育经费差距在缩小，但 2014 年之后，两者的差距有继续扩大的趋势。2019 年，农村和城市小学和初中的差距分别达到了 2556 元和 6332 元。尽管农村义务教育经费实行省级统筹，但并没有改变以县为主的教育支出模式，省级政府在教育经费统筹上存在明显的“累退现象”，即经费支出越大的项目，省级政府的统筹作用越小。③

（四）义务教育校际均衡发展

学校是实施义务教育的基本单位，教育质量的提高是通过学校作用于每一个受教育个体的。按照柳海民和周霖的观点，义务教育校际均衡发展是指

① 胡咏梅，元静．“十四五”期间完善义务教育经费保障机制研究[J]．教育与经济，2021，37(1)：57-66.

② 姜长青．新中国财政体制 70 年变迁研究[J]．理论学刊，2019(5)：72-80.

③ 戎乘阳．我国农村义务教育经费投入研究[J]．经济问题，2022(1)：101-106.

各级政府依法对其管辖区域内的各所学校进行教育资源有效配置的过程。[①]

改革开放以来，我国教育事业得以焕发新的生机。1978 年，教育部颁发《关于办好一批重点中小学的试行方案的通知》，从这一政策出台到 20 世纪 90 年代中期，我国各地方在人、财、物等方面向重点学校倾斜，学校之间的差距拉大，掀起了一股“择校”热潮。1995 年，国家教育委员会决定于 2000 年以前分期分批建设并评估验收 1000 所左右的示范性高中。[②]受该决定影响，许多地方不仅在高中阶段实行示范校政策，在义务教育阶段也开始实行示范校政策，进而在人力、财力方面向示范校倾斜，校际失衡被拉大。进入 21 世纪后，优质学校、名校办民校、校中校等新兴学校形态相继出现，校际失衡发展进一步加剧。

义务教育校际不均衡发展的消极影响和负效应主要体现在以下几点：①人人平等的受教育权受到侵犯。重点学校、示范学校与薄弱学校的差异强化了社会中的歧视因素，导致学生难以在平等的起点上公平竞争，人人平等的受教育权受到侵害。②教育结构失衡。择校导致了义务教育阶段的教育分流，有限的资金和资源更多地流向示范学校和重点学校，不可避免地拉大了学校之间的差距，校际发展不平衡加剧。③教育资源短缺与浪费的矛盾更加尖锐。学校被分为重点学校和普通学校，学生被分为优生和差生。优质教育资源和优质生源向示范学校和重点学校集中，普通学校和成绩一般和较差的学生往往不受重视，得不到应有的教育资源和培养。导致普通学校面临优质资源的短缺，而示范学校和重点学校的优质生源却享受优质的教育资源，形成一定程度的资源浪费，没有在效益最大化的前提下发挥优质资源的作用。④影响社会秩序。“择校热”助长了教育腐败和社会腐败，“条子生”“关系户”助长了学校乱收费，加重了家长负担，助长了不正之风，扰乱了社会秩序。

校际均衡的推进需要进行制度上的改革，树立正确的教育政策观，突出

① 柳海民，周霖. 义务教育均衡发展的理论与对策研究[M]. 长春：东北师范大学出版社，2007：247.

② 国家教委. 关于评估验收 1000 所左右示范性普通高级中学的通知[Z]. 1995-07-03.

均衡的教育发展观，构建充分的教育财政观，体现系统的教育改革观。[①]校际失衡已引起国家的高度重视，国家相继出台了相关政策文件，如《教育部关于进一步推进义务教育均衡发展的若干意见》强调，“各地要把全面推进素质教育、全面提高教育质量作为推进义务教育均衡发展的根本任务，在制定政策、配置资源、安排资金时，要优先保障提高教育教学质量的需要”。《国务院关于深入推进义务教育均衡发展的意见》明确提出推进义务教育均衡发展的基本目标，即“每一所学校符合国家办学标准，办学经费得到保障。教育资源满足学校教育教学需要，开齐国家规定课程。教师配置更加合理，提高教师整体素质”。政策的出台从宏观上为校际均衡发展指明了方向，有利于促进义务教育均衡发展，实现教育公平。

① 柳海民，周霖. 义务教育均衡发展的理论与对策研究[M]. 长春：东北师范大学出版社，2007：247.

第二章　我国县域义务教育情况调查与问题分析

为全面了解我国县域义务教育现状，华中师范大学信息化与基础教育均衡发展协同创新中心研究团队于 2013—2019 年先后对我国吉林、云南、四川等地的县（市、区）义务教育情况进行了跟踪调查，并根据对调查材料的分析，总结了县域义务教育中存在的主要问题。现对其中若干调查中发现的问题进行概述。

第一节　县域义务教育情况调查

一、对吉林长白县义务教育情况的调查[①]

（一）长白县义务教育基本情况

长白县是全国唯一的朝鲜族自治县，地处吉林省东南部，长白山南麓。长白县面积为 2509.96 平方公里，辖 7 个镇、1 个乡，总人口 7 万多人，其

① 对长白县的调研所涉及的数据由当地教育局和调研学校提供，调研截止时间为 2016 年年底。

中朝鲜族人口占16.7%。全县各级各类学校共23所，其中义务教育学校20所（含1所完全中学），普通高中、幼儿园各1所。2016年，研究团队从教育局了解到，全县在校学生共6508人，其中幼儿园873人，小学2864人，初中1515人，高中1256人。教职工1324人，其中专任教师716人。全县教学班共有246个，其中幼儿园41个，小学123个，初中47个，高中35个。

（二）长白县义务教育中存在的主要问题

第一，地理位置造成交通不便。长白县地处偏远边境民族地区，县城距白山市290公里，距长春市500公里，是距省会最远的县城，号称吉林省的“西藏”。全县各学校散布于江畔山谷间，呈点多、线长、面广的特点，最远的乡镇学校距离县城160多公里，教师要到省城参加培训，车程近7个小时。

第二，师资水平普遍偏低。长白县经济总量小，拨付的公用经费多只够维持学校的正常运转，加之交通不便，教师外出学习培训成为奢望，导致教师队伍素质不高，教师专业化成长速度缓慢，优秀教师匮乏和师资水平参差不齐。

第三，教育发展不均衡。2015年，长白县通过了国家义务教育基本均衡发展评估验收，办学条件得到了提升。但受地理分布、师资力量、人文环境等诸多因素的影响，长白县县域内城乡间、村镇间、学校间的发展水平仍存在差距，而且办学水平与其他发达县域的办学水平也存在较大差距，教育发展上的不均衡现象依然客观存在。

第四，生源逐渐萎缩。受东北经济下滑和城镇化进程加快的影响，长白县总人口和学生数呈下降趋势。学校班额逐渐减小，甚至有学校出现教师人数和学生人数接近1∶1的现象。例如，2016年12月，南尖头小学有8名学生、7名教师。研究团队通过访谈得知，近几年随着外出务工、子女升学等人数的增多，南尖头村村民逐年减少，留在村里的适龄儿童也越来越少。表2-1为长白县部分学校的基本信息，包括教师数、学生数、班级数和生师比。

表 2-1　长白县部分学校基本信息表

学校名	教师数/人	学生数/人	班级数/个	生师比
长白县一中	60	724	18	12.07：1
马鹿沟镇中心小学	39	143	9	3.67：1
金华中学	37	132	10	3.57：1
十四道沟中学	24	41	3	1.71：1
十四道沟希望小学	24	132	7	5.50：1
南尖头小学	7	8	3	1.14：1

（三）对长白县部分学校的调查纪实

（1）南尖头小学

南尖头小学是全县 3 所村小中的一所，2016 年 12 月，该校只有 8 名学生、7 名教师。从一年级到六年级只有三个班级，两个班级的学生数为 3 人，一个班级的学生数为 2 人。学校教学条件简陋，既没有多媒体设备，也没有通网络，教室里取暖的设备还是烧煤的炉子，教师上课全靠一块黑板和一支粉笔。虽然教师少，但开齐了国家规定的所有课程，只是音乐、美术等科目的教师并非专业出身。

（2）金华中学

离开十四道沟镇后，我们来到金华乡，走进金华中学的校园。校长外出学习了，迎接我们的副校长和教导主任把我们领到了学校独具特色的“悦读大道”上，看到地上写的这几个大字，我们立刻想到了著名的好莱坞星光大道，看样子，校长是希望书籍能像明星一样照亮孩子的一生。进入教学楼，所到之处看见最多的就是书，走廊里、教室里都摆满了各种类型的书。校园里不时有学生走动，看见生人，他们都很有礼貌，主动喊老师。学校领导向我们介绍了学校的基本情况和办学特色。学校是一贯制学校，现有教师 37 人、学生 132 人，教学班共 10 个，班额 2—32 人。学校最大的特色就是书多，也因此被称为“悦读校园”“一所坐落在图书馆里的学校”，书籍主要来自捐赠。在信息化建设方面，学校计算机室配有电脑 30 台，每间教室都配有电子白板。学校教师的活动很充实，教师每周要写一篇钢笔字字帖、水笔字字帖和一块黑板的粉笔字字帖。学生的阅读都有“阅读夹”来记录。

（3）马鹿沟镇中学

进入马鹿沟镇中学的第一感觉就是操场非常大，后来才知道是因为和隔壁的马鹿沟镇中心小学的操场打通了。校长是一位非常健谈、幽默风趣的人，向我们介绍了马鹿沟的来历：从前这个地方有很多马鹿，后来就叫马鹿沟。马鹿是一种非马、非驴四不像的鹿科动物，但身形巨大如马，因此叫马鹿。学校现有 6 个教学班，165 名学生。教职员工共计 46 人，其中专任教师 31 人。

在校长办公室，校长拿出手机观看着教室里实时授课的画面——他们学校新安装的“录课宝”。设备只要开启，课堂就会被全程录制，可供学生在课后调阅，查漏补缺；同时，校长、教师、教研员、家长等也能够用手机进行远程观课，课堂过程一览无余。校长表示，自从安装了“录课宝”等信息化设备，学校无论是从管理还是课堂教学方面都有了很大改进。

随后，校长带我们来到教学楼，向我们介绍了学校的特色：“五自两育”教育——人格自强、道德自律、学习自励、安全自护、生活自理、感恩教育和合作教育。一楼大厅两边有不少“五自两育”教育的宣传海报和图画，学校独特的人文气息给我们留下了深刻的印象。我们来到教室，学生正在上课。我们问同学们，是否会使用教室里的电子白板；如果老师有事，或者让学生自己讲课，大家会不会用这些设备。学生们点头说会用。王老师随机点了一名学生上台操作，这是一名个子高高的女生，她略微迟疑了一下，还是快速走上讲台，打开教学一体机的控制箱，启动电源，拿出触控笔操作起来。

参观完一楼的教室，来到二楼，校长向我们介绍了贴在走廊上的“马鹿沟镇中学学生每周誓词”——作为马鹿沟镇中学的学子，我深深地知道，我的成长就是家庭的希望，就是祖国的未来。我们要牢记，现在不埋头，将来何抬头。别人与我比吃穿，我与别人比明天；别人与我比父母，我与别人比成就。我们要努力把握岁月中的分分秒秒，用不断的奋斗，成就辉煌人生。今天我们在马中脚踏实地，明天我们在大学仰望星空；今天我以马中为荣，明天马中因我而骄傲。

二、对云南武定县义务教育的调查①

（一）武定县义务教育基本情况

武定县位于滇中高原北部、云贵高原西侧，隶属楚雄彝族自治州，辖11个乡镇。县域面积3322平方公里，地表崎岖，群山连绵，山地、丘陵、谷地、河谷平原和山间盆地（当地人称坝子）相互交错，山区面积占总面积的97%，坝子及水面占3%，是一个集“山区、民族、宗教、贫困”于一体的国家扶贫开发工作重点县。

2017年，武定县有各类学校136所，包括1所普通高中、1所职业高中、2所九年一贯制学校、15所初级中学、15所完小、46个教学点、56个村小。班级总数982个，学生总数33 039人，教师总数2397人，平均年龄47岁，50岁以上教师多为民转公教师。

（二）武定县义务教育中存在的主要问题

1. 义务教育发展不均衡的问题

武定县义务教育发展不均衡主要表现在小学段中心校和教学点办学条件上，与其他地区学校相比，还存在较大差距，如开不齐课、开不好课问题较严重；教师年龄普遍偏大；一师一班现象普遍；留守儿童比例较高。

2. 教师专业发展的问题

第一，一师一班的存在加重了教师的负担，无暇于自我提升。教师本身有自我发展的需求，但因忙于教学和学生管理，加上培训名额有限，能够参加各种培训的机会少之又少。第二，使用计算机备课、授课的教师不多，急

① 对武定县的调研所涉及的数据均由当地教育局和学校提供，调研截止时间为2017年年底。

需提高信息化应用能力。例如，武定一中共有教师213名，能够使用信息化设备备课、授课的教师数为175名，占比为82.16%，低于发达地区许多学校100%的比例。

3. 交互式终端缺乏与Wi-Fi利用问题

计算机+交互式屏幕等多媒体设备在教学中有比较普遍的应用，但这些设备主要用于教师演示教学内容。这说明传统的讲授—接受式教学方式仍然占据主导地位，学生仍然是传统的被动式接受知识，教学方式和学习方式缺乏多样性。以学生为中心的自主学习、研究性学习、探究式学习和协作式学习等多样化的学习方式并未受到重视。

4. 校园文化建设问题

学校文化是指一所学校经过长期发展，积淀而成的一种价值体系，包括价值观念、办学思想、群体意识、行为规范等，是一所学校办学精神与环境氛围的集中体现。校园文化建设主要分为三个部分，即物质文化建设、精神文化建设和制度文化建设。从调研的情况看，武定县绝大多数学校的校园文化建设仍然比较传统，以学校介绍、领导班子介绍、教师简介、学校活动等的宣传为主，缺乏励志类、传统文化类、社会主义核心价值观类、德育类等的宣传和艺术作品。例如，插甸中学的校园宣传主要包括插甸中学教师一览表、插甸中学2016—2017学年度高中录取花名册、2017—2018学年度秋季学期模拟考日程安排、实验楼每间实验室前的“心理学故事”、插甸中学总平面图、捐资纪念碑。未见雕像、绘画等校园文化建设内容。

5. 学生阅读素养问题

国内外的研究已经证实，阅读与学生学习能力呈高度正相关，因此提高学生的阅读素养是培养学生能力的重要手段。

就武定县而言，从调研的情况看，学生阅读素养与发达地区相比存在差距。以插甸中学（初中）图书室3个月的借阅记录和招银小学的图书借阅记录为例进行说明，插甸中学（初中）图书馆藏书19 000册，2017年11月，共有 41 条图书借阅记录；12 月，无图书借阅记录（图书室调整未开放）；2018 年 1 月，共有 29 条图书借阅记录。全校 658 名学生 3 个月加起来只有 70 条图书借阅记录，平均每生每个月读书 0.035 本。招银小学藏书 2500 册，学生人数 88 人，图书室每周三开放一次。2017 年 12 月，有 20 条借阅记录；2018 年 1 月，有 15 条记录，平均每生每个月读书 0.199 本。其他学校的情况与这两所学校类似。

6. 教育扶贫问题

2017 年 1 月 24 日，习近平到河北省张家口市考察工作时指出，要把发展教育扶贫作为治本之计，确保贫困人口子女都能接受良好的基础教育，具备就业创业能力，切断贫困代际传递。[①]“扶贫先扶智”决定了教育扶贫的基础性地位；“治贫先治愚”决定了教育扶贫的先导性功能；“脱贫防返贫”决定了教育扶贫的根本性作用。“积财千万，不如薄技在身”“一技在手，终身受益”，说明教育在促进扶贫、防止返贫方面的作用，可以说是根本性的、可持续的。

武定县是国家级贫困县，从调研的情况看，未见其在教育扶贫方面有何措施和动作。以插甸中学的调研为例进行说明。2017 年，插甸中学有 658 名在校生，绝大多数来自贫困家庭，其中留守儿童 157 名，占比为 23.86%。2017 年的高中升学率大约为 30%，升到职业中学的比例大约为 20%，其余 50%的学生选择就业。学校没有对学生就读职校或选择就业进行相关引导与教育，也没有专门的教师开展此方面相关工作。武定县其他学校的情况与此情形类似。

（三）对武定县教育局局长的访谈摘录

研究团队：局长，请您谈谈武定县在办学及推进教育信息化过程中的困难。

---

① 习近平：落实教育扶贫，切断贫困代际传递[EB/OL]. http://news.cctv.com/2017/02/23/ARTIdHtbtRi3zpAATpvo50rF170223. shtml，2017-02-23/2022-04-14.

局长：办学中存在的主要困难是教师编制问题无法解决，教师是按照生师比配置的，而小学尤其是教学点都是小班额。按照国家政策，教师按照生师比 19∶1 进行配置。照此，教师是不缺编的，但由于小规模学校多，教师数量实际上是不足的，全县 136 所学校中，有 128 所学校存在一师一班现象，尤其是小学。很多学校多年没有招收新教师，而原有教师年龄逐年增加。一师一班的学校中，教师需要负责一个班所有孩子的吃、住，以及所有课程的教学，几乎没有时间和精力再去学习信息技术。

教育信息化过程中的主要困难是如何推动信息技术的应用。武定县政府高度重视教育信息化建设，近几年投入 4000 多万元用于教育信息化建设，给 70%的教师配置了笔记本电脑，边远地区的教学点都配置了电子白板和多媒体设备，但这些设备的使用率并不高，而三五年后，这些设备就开始逐渐进入淘汰期。虽然我们有很好的装备，但还在做着很传统的事情。

三、对云南牟定县义务教育的调查[①]

（一）牟定县义务教育基本情况

牟定县位于云南省中北部，楚雄彝族自治州中部；下设 4 镇 3 乡，89 个村（居）委会；全县总面积 1464 平方公里。2015 年年末，全县总人口 20.17 万人；全县实现生产总值 38.1 亿元；完成地方财政预算收入 2.88 亿元，城乡常住居民人均可支配收入分别达到 26 302 元、7680 元。2015 年，全县辖区内义务教育阶段公办学校 82 所，其中小学 72 所、初级中学 10 所（含牟定一中初中部）；教职工 1442 人，其中小学 871 人、中学 571 人；专任教师 1369 人，其中小学 840 人、中学 529 人；在校学生 16 570 人，其中小学 9948 人、初中 6622 人。

（二）牟定县促进义务教育发展的主要措施

2014—2017 年，牟定县教育局主要从如下几个方面做了大量工作，并

① 对牟定县的调研所涉及的数据均由当地教育局和学校提供，调研截止时间为 2017 年 6 月底。

取得了一定成效。

1. 加大优质教育资源配置力度，确保入学机会均等

坚持“以流入地政府为主、以全日制公办中小学为主”的原则，切实保障外来人员子女接受义务教育。该县将随迁子女就学纳入教育发展规划和财政保障体系，县城3所公办义务教育学校全部接收随迁子女就学，并与本地居民子女享有同等接受义务教育和各项惠民政策的权利。2013年，全县外来务工人员子女75人，接受义务教育75人；2014年，全县外来务工人员子女108人，接受义务教育108人；2015年，全县外来务工人员子女284人，接受义务教育284人；入学率均为100%。

出台工作方案，大力促进关爱农村留守儿童服务体系的建设，建成8个关爱中心，切实强化保障留守儿童接受义务教育的社会责任，积极营造以政府为主导、社会各方面广泛参与关心、支持留守儿童接受义务教育的社会氛围，确保每一名留守儿童能上学、上好学。2013年，全县义务教育阶段留守儿童8021人，接受义务教育8021人；2014年，全县义务教育阶段留守儿童7111人，接受义务教育7111人；2015年，全县义务教育阶段留守儿童7485人，接受义务教育7485人；入学率均为100%。

认真贯彻落实义务教育法，保障适龄残疾儿童、少年与正常儿童、少年享有同等接受义务教育的权利。2013年，全县义务教育阶段适龄残疾儿童、少年有14人，在义务教育阶段学校随班就读14人；2014年，全县义务教育阶段适龄残疾儿童、少年有20人，在义务教育阶段学校随班就读20人；2015年，全县义务教育阶段适龄残疾儿童、少年有33人，在义务教育阶段学校随班就读33人；入学率均为100%。

根据省州有关文件精神，不断深化初中教育评价制度和高中阶段学校招生制度改革，以初中学业水平考试和综合素质评价结果为主要依据，实行优质高中阶段学校招生名额按当年招生量的30%定向分配到区域内各初级中学。牟定一中2013—2015年分别定向录取了初三毕业生222人、210人、210人。

认真贯彻落实义务教育法等法律规定，强化乡镇人民政府主体责任，保障适龄儿童按时入学，做到应入尽入。2013 年，小学阶段适龄人口入学率为 99.51%，初中阶段适龄人口毛入学率为 119.8%；2014 年，小学阶段适龄人口入学率为 99.59%，初中阶段适龄人口毛入学率为 121.32%；2015 年，小学阶段适龄人口入学率为 99.95%，初中阶段适龄人口毛入学率为 118.86%。

县政府高度重视“控辍保学”工作责任的落实，出台了相关文件。各乡镇学校成立“控辍保学”工作领导小组，制定工作方案，落实工作责任，及时解决学额巩固问题。2013 年，小学辍学率为 0.72%，初中辍学率为 1.60%；2014 年，小学辍学率为 0.38%，初中辍学率为 1.88%；2015 年，小学辍学率为 0.66%，初中辍学率为 1.80%。由此可见，辍学率得到一定控制。

2. 认真依法履行政府职责，切实落实保障机制

县政府将教育优先发展、均衡发展、促进教育公平纳入经济社会发展规划，成立以县长任组长的推进义务教育均衡发展工作领导小组，制定了《牟定县人民政府关于建立牟定县义务教育均衡发展工作目标责任监督和问责机制》，与各乡镇人民政府签订“教育工作目标责任书”，形成了群策群力兴教育、上下一心抓教育的工作格局，为全县义务教育均衡发展提供有力保障。

认真落实义务教育经费足额纳入地方财政预算的法定要求，实行经费单列，按教育经费“三个增长”的规定，加大对义务教育的经费投入，按时足额发放教职工工资，优先保障教育所需。①县级教育财政拨款的增长高于财政经常性收入的增长，2013—2015 年分别增长 1.78%、3.08%和 1.91%。②生均教育事业费和生均公用经费逐年增长，2013—2015 年，小学生均教育事业费分别增长 16.20%、16.84%、14.79%，中学分别增长 14.64%、22.10%、14.21%；小学生均公用经费分别增长 5.11%、8.37%、2.28%，中学分别增长 6.74%、8.46%、2.14%。③教职工工资逐步增长，2013—2015 年分别增长 9.51%、0.53%和 34.82%。

2014—2017 年，县委县政府争取规划项目投入校舍安全工程资金 15 062.40 万元，其中薄弱学校新建校舍 8.15 万平方米，投入设施设备经费 2818 万元用于信息化建设，这些项目的实施加快了学校标准化建设步伐。2013 年，农村税费改革财政转移支付资金 1363 万元，用于教育 722.43 万元；2014 年，农村税费改革财政转移支付资金 1363 万元，用于教育 690.65 万元；2015 年，农村税费改革财政转移支付资金 1363 万元，用于教育 682.8 万元，占比均超 50%。

足额征收教育费附加，并全额用于教育。2013 年，实征教育费附加 292.18 万元，用于教育 292.18 万元；2014 年，实征教育费附加 344 万元，用于教育 285.56 万元；2015 年，实征教育费附加 325 万元，用于教育 203.32 万元。由于 2013—2015 年教育经费附加欠拨 179.94 万元（实际征收 961 万元，实拨 781.06 万元），该指标自评时扣 1 分。

县政府在财政支出压力大的情况下依然落实相关规定，从出让国有土地使用权取得的土地出让收益中，按土地出让总价款的 2%提取资金用于教育投入。2013 年，土地总收益金为 15 948.51 万元，提取教育资金 318.97 万元，拨付用于教育 10.34 万元；2014 年，土地总收益金为 8753.71 万元，提取教育资金 175.07 万元，拨付用于教育 430.21 万元；2015 年，土地总收益金为 1677.75 万元，提取教育资金 33.55 万元，拨付用于教育 33.00 万元。由于 2013—2015 年土地收益金欠拨 54.02 万元，该指标在自评时扣 1 分。

县政府根据城乡一体化发展思路制定了《牟定县集中优势资源办学规划实施方案》，旨在有效调整中小学的区域布局，适度打破城乡之间、乡镇之间、村子之间的地域界线，新建县民族中学（九年制寄宿学校）和实验小学，在破解县城义务教育学校大班额难题的基础上方便学生入学，减少大班额现象。2016 年，除茅阳中学和茅阳一小外，其他学校均不存在大班额现象。2013 年，初中有大班额班级 23 个，小学有大班额班级 16 个；2014 年，初中有大班额班级 18 个，小学有大班额班级 13 个；2015 年，初中有大班额班级 14 个，小学有大班额班级 11 个。由于茅阳中学和茅阳一小存在大班额现象，该指标在自评时扣 1 分。

3. 建立完善管理机制，提高教师整体素质

牟定县 2009 年开始全面实施教师绩效工资制度，足额拨付教师绩效工资，从未出现拖欠教师工资的情况。按“多劳多得、优质优酬”的原则，县政府制定了《牟定县教师绩效工资实施方案》，优先保障教育经费，并对山区教师给予倾斜。各学校结合实际情况，制定出符合本校特点的、切实可行的具体实施方案，经教师职工代表大会通过、县教育局备案后执行。在此基础上，2014 年 1 月起，落实了农村乡镇在编在岗教师每月人均 500 元的乡镇工作岗位补贴政策。此外，教师的社会保障、津补贴政策得到进一步落实，工作和生活条件得到显著改善。

足额乃至超额配备义务教育学校教职工。2013 年，小学在校生 11 645 名，生师比为 13.39∶1，初中在校生 7105 名，生师比为 14.77∶1；2014 年，小学在校生 10 685 名，生师比为 13∶1，初中在校生 6858 名，生师比为 14.26∶1；2015 年，小学在校生 9948 名，生师比为 11.84∶1，初中在校生 6622 名，生师比为 12.52∶1。

建立并有效实施县域内义务教育学校校长和教师定期交流制度。参照《云南省中小学校长、教师流动（征求意见稿）》《楚雄州骨干教师评选管理办法（试行）》，县教育局制定《牟定县义务教育学校校长、教师流动制度（试行）》，加强对义务教育学校校长和城乡教师流动及县级骨干教师的评选与管理，建立并积极实施教育系统人才流动机制。2013 年，跟班教师 57 名，支教教师 49 名；2014 年，跟班教师 80 名，支教教师 54 名；2015 年，跟班教师 98 名，支教教师 53 名。2013—2015 年，累计交流校级领导干部 57 人，交流制度的建立基本实现了城乡资源共享，促进了教研科研、文体活动的优势互补，对缩小城乡学校差距产生了积极效果，有利于提高农村薄弱学校的教育教学质量。但实施校长和教师定期交流的力度还不够大，交流机制还不够完善，主要表现为“下不去”、“上不来”、“不出力”和“管不了”四种情形。

落实教师培训经费，加强教师培训。县教育局制定了《关于加强中小学教师培训工作实施意见》，实施每5年一轮县级教师全员培训计划。2013—2015年，共32 399人次参与国培、县培、校培等中小学教师各类培训，送教下乡520人次，县级财政按规定将教师培训经费纳入财政预算，初步形成了县级、校级、完小三级师资培训网络，为学校实施义务教育课程计划、实现义务教育目标提供了坚实保障。

加强师德建设，不断强化教师职业理想和职业道德教育，并建立完善的师德师风监督管理机制。依据《中小学教师职业道德规范》《楚雄州教职工七条禁令》，县教育局制定和完善了《牟定县中小学教师职业道德规范》，努力使教师的职业道德修养和业务技能素养适应素质教育的要求；加强机关干部队伍、校级领导班子、教师队伍建设，努力打造一支师德高尚、业务精湛、结构合理、充满活力的高素质专业化教育团队，为义务教育均衡发展提供人才保障。

4. 全面推进素质教育，提升教育质量与管理

县教育局和各类学校严格执行国家和省级课程设置方案，开齐课程，开足课时，并按规定的课时开展各学科教育教学活动，不增加或减少课程及课时，有条件的学校还增设了校本课程。为使相关规定及课程方案落到实处，县政府教育督导室每学年开展不少于1次的专项督导检查，有力地保障了全县义务教育学校课程方案的落实。

县政府积极推行目标责任管理制度，加强控辍保学工作。2013年，小学巩固率达99.28%，初中巩固率达98.4%；2014年，小学巩固率达99.62%，初中巩固率达98.12%；2015年，小学巩固率达99.34%，初中巩固率达98.2%。

县教育局和各类学校贯彻落实《国家学生体质健康标准》，坚持学生体质健康检测与体育教学、课外体育活动、体育运动项目竞赛相结合，保证学生每天至少锻炼1小时。通过对学生身高、体重、肺活量、坐位体前屈、立定跳远等项进行测试，及时掌握学生体质健康状况。2013年，中小学体质

健康检测及格率分别为 96.56%、85.18%；2014 年，中小学体质健康检测及格率分别为 97.03%、93.98%；2015 年，中小学体质健康检测及格率分别为 95.89%、94.72%。

县教育局和各类学校积极落实省州教育部门关于规范办学行为、减轻学生课业负担的文件精神，先后出台了加强学校常规管理、规范从教行为、减轻学生课业负担等文件，严格执行划片招生、就近入学政策，县域内所有义务教育学校均未设置重点学校和重点班，新招学生均免试划片就近或相对就近入学，随机平行分班，各班任课教师均衡配备。目前，全县小学平均班额为 23 人，初中平均班额为 47 人。根据《云南省关于切实减轻中小学生过重课业负担 全面提高教育质量的办法》，该县制定下发了《关于进一步加强中小学教学常规管理工作实施意见的通知》并加大了督查力度。严格规范小学生在校活动时间，每学期、每周、每天的教学时间符合国家规定；规定学生作业数量及时间，小学一、二年级不留家庭书面作业，三、四年级的作业完成时间控制在 0.5 小时内，五、六年级控制在 1 小时内，初中七至九年级控制在 1.5 小时内；规定义务教育阶段学校每学期组织期中、期末两次学业水平检测；严格执行课程标准，不随意增减课程科目、难度和课时，按照课程标准和教材确定的教育教学内容开展各学科教育教学活动，不提高或降低教育教学内容难度。

（三）牟定县义务教育中存在的问题

第一，教育投入与现实需要存在差距。城乡之间、学校之间在办学条件、办学水平上存在一定差距，如城区学校学生人数众多，导致部分学校的学生活动范围受限，学校办学压力大，而一些农村学校办学条件差，部分硬件建设仍未达到《云南省义务教育学校办学基本标准》，音乐、体育、美术、图书等馆室设施不足，且已有设备的使用率偏低。

第二，教师队伍水平有待提高。教师业务素质参差不齐，核定编制与教师的实际需求矛盾突出。部分课堂教学水平、科研水平、管理水平不高的教师，存在职业懈怠，学习及工作的积极性、主动性不高等问题。此外，学校管理也有待加强。

（四）对牟定部分学校的调查纪实

（1）腊湾民族希望小学

腊湾民族希望小学的校园不大，一栋教学楼、一栋学生宿舍、一栋办公楼、一栋幼教楼、一间食堂，楼前是操场，操场下就是山沟。教学楼有三层，上面标有“一切为了学生，为了学生的一切”几个字，一楼墙上贴着学生的美术作品。我们依次考察了学校的音乐教室、一年级教室、学生宿舍和食堂，观看了学生们跳民族舞蹈：玛咕舞和左脚舞。

校长向我们介绍了学校的基本情况，学校位于牟定县凤屯镇腊湾村委会庙山村，2017 年，学校有教职工 10 人，包括 7 名专任教师、1 名工人、2 名临时聘任的寄宿制食堂炊事员；在校生 109 人，其中彝族学生 108 人，留守儿童 80 人；1—6 年级共有 6 个班。学校占地面积 2273.8 平方米，有教室、计算机室、实验室、仪器保管室、体育器材室、图书室和办公室。在办学上，采取了彝族特色的校园文化建设、努力推进彝族民间舞蹈进校园（将左脚舞、玛咕舞纳入校本课程开展教学，聘请当地民族民间艺人作为兼职教师到校教授，同时邀请县文化馆编导到校编排含有玛咕舞元素的课间操，挂牌成立玛咕舞传承基地）、积极推进彝族刺绣进课堂、大力开展彝族语文教学等措施。

（2）腊湾天台中心完小

天台中心完小下辖 8 个完小，总共有 800 名学生，其中天台中心完小有 300 多名小学，其他 8 所完小共 500 名学生。几所学校全部通了网络，有两种带宽：中心校是 100 M，完小是 20 M。学校要求教师每年参与两次信息技术培训，平时上课必须使用多媒体设备。我们问能不能开齐课？校长回答，天台中心完小基本能够开齐音乐、体育、美术、英语，其他完小开设这些课程存在困难，很多开不齐，教师上课质量也得不到保障。

四、对云南富宁县义务教育的调查[①]

（一）富宁县义务教育基本情况

富宁县位于云南省东南部，为中国云南省文山壮族苗族自治州下辖县，县域面积 5352 平方公里，其中山区面积占 96%。富宁县县城距州府文山市 234 公里，距省会昆明市 565 公里，距中越边境 70 公里，是典型的边疆山区。根据第七次全国人口普查数据，截至 2020 年 11 月 1 日，富宁县常住人口为 39 万多人。[②]2016 年，全县义务教育阶段学校有 177 所，其中小学 162 所、初级中学 14 所、九年一贯制学校 1 所；初中在校生 19 459 人，小学在校生 41 824 人。

（二）富宁县促进义务教育发展的主要措施

近年来，富宁县委、县政府始终坚持“改善民生从教育突破，发展教育从均衡抓起”的理念，按照合理布局、优化资源、提高效益的总体思路，整体规划，统筹安排，科学调整中小学布局，大力改造薄弱学校，强力推进县域义务教育基本均衡创建取得实效。

抓经费投入，促硬件均衡。富宁县落实“以县为主”的管理和投入机制，优先安排教育资金，确保教育经费实现“三个增长”；投入 2937.26 万元大力推进学校标准化建设，新征学校用地 17.92 万平方米，投入 3.24 亿元实施“全面改薄”[③]项目，全面消除 D 级危房，新建校舍 18.3 万平方米，改扩建运动场 3.21 万平方米。实现了最好的房子在学校，最美的环境看校园。

抓队伍建设，促质量均衡。2014—2016 年，为农村义务教育学校补充教师 820 人。成功申报“国培项目县”，全县坚持培训与教研、培训与教

---

① 对富宁县的调研所涉及的数据均由当地教育局和学校提供，调研截止时间为 2016 年年底。

② 富宁县人口[EB/OL]. https://www.ajinshou.com/renkou/renkou-xian.php?xd=%E6%96%87%E5%B1%B1%E5%B7%9E&cd=%E5%AF%8C%E5%AE%81%E5%8E%BF，2023-01-15.

③ 全面改善贫困地区义务教育薄弱学校基本办学条件，即义务教育全面改薄工程，简称“全面改薄”。

改、集中研修与分散研修相结合的原则，通过引进名师讲座、派出学习、“国培计划”等途径，加强教师专业培训，截止到 2016 年，已组织 4808 名教师参加各级各类培训。县委、县政府着力营造尊师重教的良好氛围，表彰各类教育工作先进个人 600 余人，先进学校 30 所。

抓内涵发展，促管理均衡。2014 年，县政府启动实施学校三年发展规划和校园文化建设工作，逐步构建“一校一章程、一校一制度、一校一规划、一校一评价、一校一特色”的现代学校发展模式，呈现出“博览群书，畅游书海”的书香文化、“笃信好学，锲而不舍”的恒成文化、“抱诚守真，勤奋好学”的勤文化、“青枫蕴力，厚泽思追”的励志文化等特色校园文化。

抓关爱工程，促机会均衡。2012 年，富宁县投入 808.69 万元建成县特殊教育学校，旨在保障残疾儿童、少年平等接受义务教育的权利，全县残疾儿童入学率达 90%以上。坚持落实“两为主”政策，保障进城务工人员随迁子女平等接受义务教育。2014 年以来，共接受 4964 名进城务工人员随迁子女入学，入学率达 100%。同时，全面落实“两免一补”[①]、营养改善计划、贫困学生资助等政策，确保国家教育惠民政策真正执行到位。

（三）富宁县义务教育存在的主要问题

1. 地处偏远山区，交通不便

富宁县地处民族地区，山地和丘陵面积占总面积的 96%，村庄和居民分布较分散。处在大山深处的学校财力、物力有限，基础设施配置不全，师资和教学用品较短缺。对于未成年的孩子来说，遥远的上学路途具有严重的安全隐患，而寄宿费对贫困家庭来说，又是一份比较沉重的负担。

2. 城乡学校差距变大

条件较好的县城或乡镇学校吸引了乡村的优秀教师流入，使原本师资力

① 免费提供教科书，免除杂费，给寄宿生补助一定生活费。

量就较薄弱的乡村中小学雪上加霜。为满足教学要求，不少学校不得不聘用编外的代课教师，而代课老师大多没有经过专业培训，久而久之，这些学校在教学质量上与城镇学校拉开了距离，进而加剧了教育的不均衡发展。

3. “新读书无用论”的影响

好不容易考上大学的民族地区学生，毕业后由于诸多条件的限制，往往很难找到合适的工作。大学毕业生回家务农导致家长和其他学生对上学产生失望情绪，严重影响了他们对上学的态度和认识。“新读书无用论”在社会上形成了相当大的影响，特别是对贫困家庭的影响比较大。迫于贫困的压力，许多低经济收入的家庭对回报周期长的教育并不重视，往往选择让孩子辍学回家务农或者外出打工，这也加剧了富宁县“控辍保学”工作的难度。

4. 资金、设施问题

在实行分税制和取消农业税以后，各级政府的财政收入均受到一定程度的影响。

税费改革使义务教育的经费压力转移到了县财政，但事实上，乡财政分担了相当大的经费压力。在县与乡的上下级关系中，存在着权力的排他性弱化问题。一般情况下，县政府会尽可能地要求乡政府承担更多的责任。然而，贫困山区的乡政府收入不高，基础教育投入缺乏，教育设施短缺，从而制约着基础教育的发展。

（四）富宁县调研纪实摘录

富宁县县城四面环山，一条河流横贯其中。我们的车子从县城出发向山里驶去，路是石子铺就的，从山底向山顶蜿蜒而上，路面坑坑洼洼、崎岖不平，车子颠簸得很厉害，不时掉到大坑里，或者蹭到地面凸出来的石块，我们在车里左摇右晃，只能紧紧抓住车上的把手稳固身体。路两边风景秀丽，远处群山连绵，大团奇形怪状的云朵浮在山顶，映衬着或远或近的山峦和瓦蓝瓦蓝的天空，山上树木成林、绿草茵茵。偶见山坳里宁静的山村，几户人家的房屋散落在坡上、谷底，还有房屋边排列得整整齐齐的梯田。

车子在山路上颠簸了两个多小时后，终于到达目的地——花甲乡龙三盘完小。进入校园，只见几栋楼房，正面是三层教学楼，右边是宿舍和食堂，左边正在兴建学生宿舍楼。校长是个 30 岁左右的汉子，热情地接待了我们，并向我们介绍了学校的基本情况。

其一，全校共 116 名在校生；1—6 年级每个年级 1 个班，共 6 个班；有 7 名教师，除了一名年纪较大的教师和校长本人外，其他都是 20 多岁的年轻教师。年轻教师对信息技术比较感兴趣，都有兴趣学习使用新配置的设备上课。

其二，目前配置的新设备有 4 套，每套 3 万余元。新设备配置后，县里组织了培训，校长和骨干教师参加了培训，但培训时间较短，培训效果不佳，很多具体的操作都是回来后自己摸索着学习的。现在的培训是通过网络，由远端的教师对全县教师进行培训。

其三，目前，音乐和美术课程已经开始使用航天云的直播系统上课，每周一到周五的下午都可以通过网络听课，远端的老师上课水平很高，学生们都比较喜欢这两门课。但远端老师通过网络给全县农村孩子上课，无法进行有针对性的指导，且语言和文化习惯上存在差距，本地教师与远端教师在专业水平上也存在差距，基本上只能做些操作设备、维持秩序的工作，很难跟上远端教师的节奏。但无论如何，通过这种方式总算开齐了这两门课程，对孩子们素质的提高还是很有帮助的。

五、对四川昭觉县义务教育的调查[①]

（一）昭觉县义务教育基本情况

2017 年，昭觉县有学校 201 所，其中，完全中学 2 所、农村初级中学 7 所、九年一贯制学校 2 所、小学 60 所、小学教学点 122 个、幼儿园 8 所（公办 4 所、民办 4 所）。“一村一幼”教学点有 280 个。中小学生 52 121

① 对昭觉县的调研所涉及的数据均由当地教育局和学校提供，调研截止时间为 2017 年年底。

人（小学 39 467 人、初中 9467 人、高中 3187 人），学前教育学生 21 887 人（“一村一幼”8906 人）。有教职工 2123 人，临聘辅导员 597 名。有寄宿制学校 53 所，寄宿制学生 27 124 人。

（二）昭觉县促进义务教育发展采取的主要措施

1. 加大投入，促进义务教育强势发展

2016 年，昭觉县教育经费总投入由 2014 年的 4.114 亿元提高至 5.407 7 亿元，增幅达 31.45%，其中国家财政性教育经费投入由 2014 年的 3.9972 亿元提高至 5.1906 亿元，增幅达 29.86%。2016 年，昭觉县国家财政性教育拨款的增长比例比县财政经常性收入的增长比例高出 7 个百分点。同时，用于义务教育阶段的人均教育事业费也由 2014 年的小学 7020 元提高至 2016 年的 7873 元，增幅达 12.15%；初中由 2014 年的 12 785 元提高至 2016 年的 14 213 元，增幅达 11.17%。实行义务教育之后，昭觉县一直按省确认的人数、分担比例和标准，及时将免费补助资金拨付到学校，在此基础上，以校舍建设为突破口，加大教育经费投入力度，坚持新增经费主要用于农村义务教育学校和薄弱学校改造、维修，先后启动了农村寄宿制学校建设工程、校安工程、薄弱学校改造和“十年行动计划”等重大项目工程。2012—2017 年，昭觉县新改、扩建义务教育学校 120 所，完成校舍新建面积 17.99 万平方米，投入资金 3.37 亿元；投入资金 1361 万元，全面完成 13 所义务教育学校 D 级危房改造，全面改善农村学校办学条件，缩小城乡之间、学校之间的办学差距。同时，昭觉县党政主要领导亲自到北京、江苏、浙江等地拜访企业家和慈善团体，鼓励和发动社会各界捐资助学。

2. 突出重点，推进义务教育均衡发展

一是高度重视“控辍保学”工作。县政府认真落实省教育厅相关政策文件，通过层层签订责任书，建立“控辍保学”大督查机制，制定村规民约，建立“控辍保学”工作台账，严厉打击黑中介和黑包工头，实施学生到校短信报送制，对完不成“控辍保学”任务的乡镇领导实行约谈、诫勉谈话直至

撤职等措施，把责任落实到每一个单位、每一名干部，全面落实防辍目标、任务和措施。2017 年，该县入学率、巩固率均达到省定标准。2017 年，该县在校生达 74 008 人，与上学年度相比，学前教育净增 661 人，小学净增 1888 人，初中净增 1286 人。此外，按照“流入地政府管理为主，就近公办中小学就读”的原则，确保流动人口随迁子女 100%接受义务教育。

二是稳步推进学校布局调整。按照“整体规划、分步实施、统筹安排、逐年推进”的思路，坚持“中学向县城及临近西昌条件较好的地区集中，小学向乡镇及公路沿线集中办寄宿制，利用闲置下来的村社校舍举办学前教育”的原则，收缩校点，扩大规模，全面提升规模化办学效益。结合城乡建设发展规划和人口变动状况，对全县学校布局进行调整。

三是狠抓寄宿制标准化建设。县教育体育和科学技术局制定《寄宿制学校校舍建设项目规划（2017—2020 年）》，新增寄宿制学校 9 所，改扩建寄宿制学校 41 所，投资 2.39 亿元，在充分考虑地质灾害危险性评估的基础上，严格按照国家现行建筑 8 度设防标准进行设计和修建，同时要求校方定期对校舍进行安全检查，发现隐患及时上报，在质保期内由承建商无条件修缮。在寄宿制管理上，严格执行“四洗”（每天洗脸、洗脚，一周洗一次澡，一周洗一次衣服，一月洗一次被子）、“五化”（训练军事化，寝室管理专人化，生活配备统一化，日常行为规范化，清洁卫生经常化）、“六个一条线”（面盆、毛巾、鞋子、口杯、碗筷、卧具摆放一条线），着力培养学生良好的生活卫生习惯。

四是稳步推进教育信息化工程建设。完善装备投入保障机制，将生均公用经费的 16%用于教育信息化建设，并重点向边远山区学校倾斜，促进办学条件均衡化。2012 年以来，县政府相继投入资金 3000 多万元，完成了 1021 套多媒体“班班通”设备的装备，建设了 21 间计算机网络教室、41 所学校的数字化网络机房，同时，41 所学校实现了校园 Wi-Fi 全覆盖；为 41 所学校补充了理科实验教学仪器和学生课桌凳，为 6 所学校装备了 19 个实验室，为 45 所学校装备了学生饮水设备，为 65 所学校和 70 个教学点装备了 661 台空调设备和 755 台壁挂式取暖设备。

3. 强化管理，提高师资队伍素质

一是加大教师增配力度。2012 年以来，按省定编制增配教师 549 名，政府以购买服务的方式聘用“一村一幼”双语幼儿辅导员 597 名，来保证学校教育教学工作的需要。

二是认真解决好已辞退民办教师遗留问题。制定政策文件，对 1963 年 1 月 1 日至 1982 年 12 月 31 日在该县公办中小学民办教师岗位上工作过的人员，按照 1250 元/人年的标准发放一次性生活补贴。

三是规范师资队伍管理。制定规章制度，成立教育督察室，进一步健全和完善校长目标管理制度和考核，以制度管人，以制度管事，全力建设一支学有所长、善于管理、清廉敬业的校长队伍。坚持推行教师全员聘用制和教师末位移位制，优化教师职称晋升、绩效考核、骨干教师选拔培养等管理制度，建立并完善合理、有序的教师流动机制，严格实行“凡进必考”制度，充分调动教师工作的积极性和主动性。

四是强化师资队伍建设。扎实推进教师培训工作，2012 年以来，累计完成各级培训 10 936 人次，56 所学校与绵阳市涪城区、德阳市旌阳区等 98 所学校签订对口帮扶协议，旨在不断提升教师专业素养和学校办学理念。

五是强化工作纪律，落实奖罚制度。2012 年以来，在教育教学等方面，410 人次获得县级表彰，70 余人次被通报批评、诫勉谈话。通过一系列活动，教师的纪律意识得到增强，工作作风越来越优良，赢得了家长的信任、社会的认可。

六是切实保障教师合法权益。依法依规落实教师福利待遇，以调动教师的工作积极性。2014 年起，全面落实 400—950 元的农村教师生活补贴、400—800 元的高海拔乡镇岗位补贴、200 元的乡镇工作人员补贴、中小学校长岗位津贴和班主任津贴；2009 年起，全面兑现人均每月 475 元的中小学教师绩效工资。

七是规范学校办学行为。县政府成立内审机构，制定《教育内部审计工作实施方案》，由教育、财政、审计等部门联合开展专项审计工作，进一步规范教育资金管理。严禁教师在各种节假日期间对学生进行有偿家教、补课和违规办班的行为；严禁学校擅自设立收费项目，提高收费标准，强制学生统一购买教辅资料等变相收费行为。

4. 以质量为本，全面实施质量提升工程

将质量提升作为教育发展的生命线，以及衡量一所学校教育教学工作的硬指标。

一是树立“向学校科研要质量”的教学理念。坚持“科研兴教、教研兴校”的主导思想，鼓励全县各级各类学校开展校本教研，2017 年，立项在研课题共 28 项；“民族地区生本教育推进策略”子课题已在各校深入推广实施；全州“中国好老师行动计划”第四期教学研讨及第一期校长论坛会议也在该县圆满闭幕。

二是完善教学质量监控体系。县教育体育和科学技术局制定《农村中小学教学质量绩效奖惩实施意见》，实行教学质量检测月考制度，学校每月对月考成绩进行分析，找出不足之处，县教育和科学技术知识产权局每学期末形成农村中小学教学质量分析报告，并进行通报。

三是狠抓常规教学管理。不定时深入各类学校进行推门听课、评课议课、作业教案等常规教学检查；以骨干教师示范课、青年教师展示课、新教师汇报课、“一师一优课，一课一名师”、网上晒课等活动为载体，不断规范教育教学管理。

四是强化双语教学管理。全面贯彻落实国家、省、州有关双语教育工作的精神，狠抓学校双语教育教学工作，培养既懂彝文又懂汉语的“双料型”人才。昭觉县教育体育和科学技术局制定《关于将彝语文纳入毕业考试的通知》，规定从 2016 年春季学期开始，将彝语文学科纳入小学、初中毕业考试，一类模式初中、高中新生录取时按 100%分值计算，二类模式初中、高中新生录取时按 50%分值计入录取分数，高一一类模式新生彝文成绩折合分达到 30 分才予录取。

五是严明奖惩保落实。以质量效果为核心，以措施落实为标准，严格执行联合监考制度，确保学生成绩的真实性、教师业绩评价的公正性。考评结果纳入职务晋升、职称评聘、工作调动、绩效工资分配范畴。

2017 年，昭觉县高考一本及本科和本科预科上线 25 人，二本及本科预科上线 154 人，专科上线 919 人，上线率达 94.3%，“9+3”彝区免费职业教育录取 732 人，超上级下达指标 232 人，义务教育阶段学校教育教学质量均有不同程度提高。

六是深化内涵，促进义务教育优质发展。强力推进中小学校园文化建设，并将其作为实施素质教育、增强教育均衡发展后劲的切入点。

通过社会主义核心价值观、彝族传统道德教育进校园、诵读经典、美德少年、十佳少年、文明洁美寝室、“四洗”、校园艺术节等系列活动的开展和评选，幼儿园到高中阶段学生的卫生习惯、学习习惯、文明习惯等得到极大改观，形成了勤奋好学、卫生礼貌的文化氛围。2016 年，县教育体育和科学技术局组织举办了中小学生运动会、首届中小学生足球运动会、“千校万生”禁毒防艾教育、“6.26 国际禁毒日”文艺汇演、彝族传统文化进校园等活动。2016 年，组队参加全州中学生运动会，荣获高中组篮球第一名、足球第三名；荣获省级和州级美术作品大赛一等奖 4 幅、二等奖 13 幅；获得省级和州级青少年跆拳道比赛 2 金 2 铜；代表凉山彝族自治州（简称凉山州）参加中国青少年国际足球锦标赛四川分赛区，荣获亚军；参加青少年科技创新大赛，获奖 11 项；2017 年举办的“乐享童年 放飞艺梦”文艺晚会暨师生书画展，无论是作品数量、参演人数、观众人数，还是舞美设计、艺术品位，均创历年新高。一系列活动的开展，为学生张扬个性、发挥特长提供了平台。

（三）昭觉县义务教育存在的主要问题

近年来，“有学上”已实现，“上好学”成为全县各级党委、政府和广大教育人的奋斗目标。2021 年 5 月，包括昭觉县在内的四川 18 个县（市、区）通过义务教育均衡发展国家督导评估认定。[①]尽管如此，昭觉县的义务

① 凉山 17 县（市）全部实现县域义务教育均衡发展[EB/OL]. http://baijiahao.baidu.com/s?id=1732135821527654440&wfr=spider&for=pc，2022-05-07/2022-07-23.

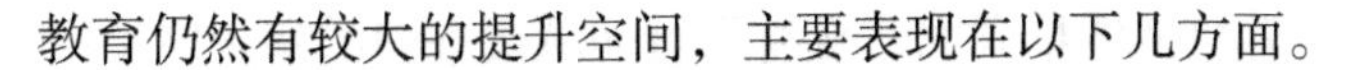

教育仍然有较大的提升空间，主要表现在以下几方面。

一是教育经费投入有待增加。昭觉县经济基础薄弱，尽管县委、县政府长期以来倾力支持教育，但是面对解决 30 多万人口教育问题的巨大压力，仍显力不从心。特别是义务教育规范化和教育现代化、信息化等方面的建设困难重重，要真正实现高质量、高层次的义务教育，依然任重道远。

二是初中“防流控辍”任务依然艰巨。虽然县委、县政府及有关部门不断加大义务教育法的宣传力度，但一些家长依法送子女入学的意识依然淡薄，初中生辍学外出务工现象未能得到杜绝。

三是教育均衡发展步伐有待加快。区域之间、学校之间，特别是城乡之间的办学水平和教育质量还有一定差距，群众“读好书”的强烈需求尚未得到满足，群众关心的“大班额”“择校热”等问题还没有得到根本解决。2017 年，全县义务教育阶段 967 个教学班中，56 人以上大班额班级 164 个，占比为 16.96%；66 人以上超大班额班级 278 个，占比为 28.75%；高中 44 个教学班，超大班额班级 34 个，占比为 77.27%。

四是教师缺编现象严重。按照义务教育均衡发展验收标准及《中央编办、教育部、财政部关于制定中小学教职工编制标准意见的通知》，高中需要编制教师 255 名，初中 595 名，小学 1870 名，除去“一村一幼”教学点，学前教育需 1281 名，共需 4001 名，与现有编制比，尚缺编 1814 名。

五是建设用地协调困难。按义务教育均衡发展验收及脱贫攻坚建设标准，到 2020 年，改扩建学校需征用土地约 1068.5 亩[①]（其中学前教育 347.5 亩、义务教育 721 亩），但由于教育建设储备用地很少，项目建设推进困难重重。例如，工农兵小学、宝洁小学上级已下达建设项目，但由于难以协调建设用地，项目一直未动工。

六是城区学校的大班额现象。随着经济社会的发展，人民群众对教育质量的要求越来越高，现有教育资源已不能满足群众让孩子“上好学”的需求。2017 年，县小升初学生较上学年度增加了 1401 人，县城区招收初一学

① 1 亩≈666.67 平方米。

生 1900 人，由于小学毕业生增量太大，只有强行向城区各中学摊派招生任务。截止到 2017 年，昭觉中学学生已达 5000 余人，由于教师不足，高一部分班级只配备了班主任，未配备其他任课教师。

（四）对昭觉县阿土列尔小学（悬崖村小学）调查实录

实录 1：悬崖村的来历

“悬崖村”名叫阿土列尔村，位于四川省凉山州昭觉县支尔莫乡，坐落在海拔 1400—1600 米的土壤肥沃的山坳中，从山底的小学到山顶的村庄的海拔高差将近 1000 米。据昭觉县阿土列尔村村支书某色吉日介绍，200 多年前，该村先辈为躲避战乱，迁徙到此，发现这里土地肥沃，易守难攻，就把家安在了山坳的缓坡上，过着与世无争的生活。现在，村民走向外面世界，学生到山下学校上学，需要攀爬落差 800 米的悬崖，越过 13 级 218 步藤梯。连接村庄与外界的是一节节依附在悬崖绝壁上、几乎垂直的“天梯”（图 2-1）。这个村庄，就是闻名的“悬崖村”。因隐居深山、交通隔绝、信

图 2-1　“悬崖村”天梯（拍摄于 2017 年 5 月）

息闭塞，这里一度被称为男耕女织、自给自足的现实版“世外桃源”。但经济发展比较滞后，多年来，从藤索、木梯到钢梯，“悬崖村”的蜕变从未停止，也引起了社会上越来越多的关注。

实录2：“悬崖村”小学

2017年11月12日，是我们来悬崖村小学的第三天，前一天，××公司的技术人员押车送来2台液晶显示屏，他也在悬崖村小学住宿了一晚，一大早他就去帮吕工继续安装设备了。在观察了整整一天后，我（本书作者之一）决定找阿的老师和吉克老师做个专访。

阿的老师很乐意地接受了我的专访，她告诉我悬崖村小学和她本人的基本情况。悬崖村小学目前共有459名学生、10个班，其中幼儿园2个班，学前班2个班，1年级2个班，2年级2个班，四、五年级各1个班。教师共13名，包括7名正式公办教师，2名“一村一幼”教师和4名支教教师，这7名正式公办教师中有4名特岗教师；另有2名外聘的管理教师、3名食堂人员和1名负责彝族语言教学的代课教师，总共19名教职工。学生全年放两次假，一次汉族年假、一次彝族年假，其他时间学生全部待在学校，回家需要家长向学校老师请假。教师都很年轻，最大的30岁，最小的21岁，其中本科学历的3人，大专学历的9人，中专学历的1人。

阿的老师是彝族人，2016年毕业后作为特岗教师来悬崖村小学工作，大专学习的专业是初等教育。目前在悬崖村小学主要承担语文、音乐和美术课程的教学，以及五年级1班的班主任。她对这份工作比较满意，现在还在实习期，工资中没有扣除五险一金，每月工资有4000多，转正后，到手的钱会少一些。工作1年多以来，学校发生了很大变化，条件越来越好，尤其是接上网络以后，孩子们通过看电视、电影，对外界有了更多的了解。

工作中遇到的最大困难，一是学生的基础比较薄弱，尤其是汉语基础，学习上普遍存在困难。孩子们与外界接触少，五年级学生的能力可能还不如其他地区一年级的学生。二是与家长沟通比较困难，很多家长的电话打不通。学校旁边的村卫生室条件比较简陋，孩子们一旦生病就很棘手。三是学生人数多，教师数量少，没有办法照顾到每一个学生。现在悬崖村受到越来越多的关注，校长的业务也非常繁忙，经常要到处跑，就没有给他排课，因此其他教师的教学任务就比较重。

信息化教学方面，学校的老师都很年轻，学生时代就接触过信息技术，会用电脑制作教学用的课件、教案，会从互联网上下载教学用的资源。目前学校使用的信息化教学资源主要是电信和移动在安装设备时附带的资源。教师培训方面，一是线上培训，所有的老师都要在县教育局指定的网站上进行培训，且要达到一定的要求。二是县里抽调部分老师去参加集中培训，悬崖村小学是支尔莫乡中心小学下辖的教学点，抽调去参加集中培训的是中心校的老师，但这些老师参加培训回来后没有给教学点教师单独培训。学生的信息技术能力方面，目前学校没有开设信息技术课，只在部分教室安装了计算机，部分学生会在周六和周日自己操作电脑播放电视和电影，其他的操作基本不会。

现在悬崖村知名度越来越高，给学校的捐赠也越来越多，几乎每天都有人来捐赠各种物品。但是有利也有弊，学校的办学条件得到了很大的改善，但重复捐赠很多，目前还没有形成有效的捐赠物品管理制度。捐赠的东西多了，孩子们容易形成不珍惜、不爱护物品的习惯，养成不劳而获的思想。在阿的老师管理的五年级 1 班，她尝试着采取了一些措施，如奖勤罚懒。只有学习有进步、遵守纪律、表现上进的同学才能得到捐赠的物品，违反纪律、调皮捣蛋、成绩退步的同学不能得到捐赠的物品。

我对阿的老师接受专访表示感谢，希望她能提供一份家住在悬崖村上的学生资料，包括姓名、年龄、性别、家庭基本情况等信息，她表示需要时间收集整理。

采访完阿的老师，我又和吉克老师进行了详谈。吉克老师是悬崖村本地人，目前受学校聘用，作为管理老师，负责维持学生在校园中的秩序和安全。以前他家就在悬崖上，后来在学校附近买了一所小房子，搬了下来。他有五个孩子，大的两个都在广州打工，小的三个都在悬崖村小学上学。他爱人在家里养猪和照顾几个孩子的生活，每年有 1 万元左右的收入，他在学校的工作每年有 2 万元左右的收入。年轻的时候出去打过工，因为没有读过书，也不会讲汉语，找不到像样的工作，只能去挖矿，在山东、内蒙古的很多矿井里都工作过。我问他咳嗽得这么厉害怎么不去看病，他说在村卫生室买了药，但没有效果；去县城看病路太远，又很贵，自己汉语又讲不好。我劝他尽早去县城看病，并邀请他次日与我们一起坐车到县城医院看病。

下午，离校的其他老师纷纷返回学校。我找到教务主任仁老师，对他进行了专访。他告诉我他是 2014 年从西昌学院本科毕业后来到悬崖村小学的，本科学习的专业是体育教育。当时悬崖村小学刚刚从悬崖上搬迁下来，现在这个地方叫牛觉社，原来的地方叫特土社，海拔有 1500 米。工作三年以来，悬崖村小学发生了很大的变化，学生人数由原来的 190 多人增加到现在的 459 人，教师也由原来的 3 人增加到现在的规模，教学条件持续得到改善，网络接上了，孩子们通过网络对外界有了更多的了解。目前他的主要工作是负责全校的教务管理，当一年级 2 班的班主任，给 2 个班上体育课。教学方面的主要困难是，基础条件比较落后，加之学生人数多，场地有限，体育课只能带学生做一些简单的活动，教他们打打羽毛球、乒乓球。管理上的最大问题是教师数量少，只能狠抓班干部，让学生管理学生。

外界的捐赠越来越多，确实给学校带来了很多实惠。但也存在一些问题，如重复捐赠的很多，尤其是书包、文具；体育用品、音乐器材也有一些，但我们没有会使用这些器材的老师，就只能够把它们搁置起来；孩子们比较缺乏适合他们阅读的书籍，但捐书的较少，而捐来的图书大多是一些工具书，如字典、词典，还有给老师看的书。

六、对四川布拖县义务教育的调查[①]

（一）布拖县义务教育基本情况

布拖县隶属于四川省凉山州，位于凉山州东南部大凉山区，于 1955 年 3 月建县，是一个彝族聚居的高寒山区半农半牧县。全县辖区面积 1685 平方公里，有耕地 31.65 万亩，林地 84 万亩，草地 118 万亩。布拖县下辖 12 个乡镇、120 个行政村、5 个社区居委会，有彝族、汉族、藏族、苗族、回族、布依族、蒙古族等 13 个民族，2016 年户籍人口 18 万人，其中彝族占 97.5%，农业人口占 87.9%。

① 对布拖县的调研所涉及的数据均由当地教育局和学校提供，调研截止时间为 2016 年 6 月底。

2016 年，全县有各类学校 33 所，其中普通中学 5 所、小学 28 所；有教职工 1295 人，其中小学专任教师 1089 人、普通中学专任教师 206 人。布拖县基础教育人数呈典型的金字塔形结构，学前教育 3 万余人，小学 2 万余人，初中 8000 余人，到了高中只有 183 人（2017 年）。初中生源的大量流失是造成金字塔形结构的主因。

（二）布拖县义务教育中存在的主要问题

布拖县属于典型的彝族聚居区，彝族人口占比高，地处偏远山区，交通不便，经济和社会发展滞后，这些成为影响布拖县义务教育发展的客观因素。

第一，经济发展的不平衡阻碍了对教育的投入。[①]近年来，学前教育受到了国家的高度重视以及社会的广泛关注，国家给予了大力的支持和鼓励。2016 年年底，布拖县全面实现“一村一幼”的教育计划，保证了城乡学龄儿童的受教育权，但是受经济条件的限制，地方财政部门无力承担过多的教育投资，师资力量和教育设施远远低于其他地区，基础教育发展缓慢。

第二，经济压力的增大以及社会不良因素的影响。随着国家对民族地区教育的重视和关注，学生的辍学现象已经得到了强有力的控制。但是随着社会经济的发展和社会生活压力的增大，为了迅速摆脱贫苦的生活面貌，更多人选择外出务工，农村留守儿童、妇女和老人的比例增大。另外，受落后的传统婚育观念的影响，农村超生情况严重，人口增长较快。这些不利因素给学校教育及社会管理增加了负担，客观上制约了教育的发展。

第三，教育资源匮乏、交通不便以及语言差异较大。教师资源匮乏，尤其是音乐、美术、体育、信息技术等学科缺乏专业出身的教师，教师的结构性缺编较为严重。受地域和居住环境的影响，家校间没有便利的交通，学生上学路程远，具有安全隐患。彝族地区环境相对闭塞，与外界的沟通相对较

① 土比沙黑. 凉山彝族地区教育现状简析——以布拖县为例[J]. 新教育时代电子杂志（教师版），2017(19)：270.

少，导致了学生在语言交流方面的参差不齐，进而影响了教学质量。此外，教育监管部门的管理制度还有待完善，个别乡村一线教师中存在出工不出力的现象，不利于教育的健康发展。

第四，社会环境导致失依儿童增多。根据研究团队对布拖县教育局副局长的访谈，布拖县有近千名失依儿童，有的是父母均已不在，有的是父亲去世后母亲改嫁。布拖县是我国毒品和艾滋病泛滥的重灾区之一，吸毒人员以男性为主，这加重了女性的负担，她们既要抚养孩子，又要种地养家糊口，生活苦不堪言。许多孩子因此不能上学，或者上学时间一拖再拖。

第五，部分家长对教育的认识亟须转变。彝族社会从农奴社会进入社会主义社会仅有数十年时间，教育普及的时间更短。民众对儿童的教育重视程度低，有相当一部分家长认为读书不如务农，他们对教育的认识停留在识字算账的层面上。在贫困的压力下，大多数家庭选择放弃投入大、回报周期长的教育。另外，在男尊女卑思想的深刻影响下，当地女孩的受教育程度远低于男孩。

（三）对布拖县部分学校的调查实录

以下文字摘自研究团队于 2017 年赴布拖县调研的纪实，部分反映了当地教育和经济发展的实情。

一行人步行来到布拖县民族小学，考察了学校的几间教室，吕工测量了教室的尺寸，与几位工程师商量了电脑、教学一体机等设备的安装事宜。我（本书作者之一）与特木里小学的比曲扭日校长交谈了起来，他向我介绍了特木里小学和民族小学的具体情况，以及布拖县教学点的情况。特木里小学现在（2017 年）有 2400 多名学生，110 多位老师；民族小学的学生数和老师数稍微少一点，分别为 2700 多名和 120 多位。全县有 40 多个教学点，这些教学点的学生数量一般在 100 人左右，其中彝族家庭孩子数较多。教师数量严重不足，有的教学点只有 2—3 名教师，音乐和美术课程有的可以开，有的开不了。教育信息化设备基本上没有，民族小学是布拖县最好的学校，教室里也基本没有安装电脑，还是传统的黑板加粉笔。农民的生活主要靠种植土豆、玉米，也有种核桃、花椒的，但很少，因为土地比较贫瘠，产量不高。很多土地用来放牧，其中养羊的最多，一只羊可以卖 2000 块钱左右，周期一般是 3 年，但因为土地和草场均有限，羊的数量不可能很多。这样算下来一户农民每年的收入基本只能保持温饱，没有多余的钱做副业。

七、对四川冕宁县义务教育的调查[①]

（一）冕宁县义务教育基本情况

冕宁县位于四川省西南部，凉山州北部，全县辖区面积 4420 平方公里，辖 38 个乡镇、232 个行政村（社区），有汉族、彝族、藏族、回族等 20 多个民族。2015 年，全县总人口近 40 万人，其中农业人口 36 万人，属典型的农业县。

2017 年，全县共有各级各类学校 211 所，其中省级示范性高中 1 所、普通高中 1 所、职业高中 1 所、初级中学 8 所、九年一贯制学校 2 所、小学 43 所、小学教学点 81 个、特殊教育中心 1 所、幼儿园 73 所；全县共有在校生 81 579 人，其中学前教育在园生 19 584 人，小学在校生 41 067 人，初中在校生 14 634 人。全县共有教职工 3226 人，其中义务教育阶段教职工 2783 人，专任教师 2762 人。

（二）冕宁县促进义务教育发展采取的主要措施

冕宁县委、县政府高度重视教育事业的发展，始终把教育摆在优先发展的战略地位，以推进义务教育均衡发展为重点，抓投入、强基础、改薄弱、促发展，有力地提升了全县的义务教育水平。

近几年，冕宁县为加速推进义务教育均衡发展，多次召开全县义务教育均衡发展工作推进会、专题研究会和整改落实会，全力推进义务教育均衡发

---

① 对冕宁县的调研所涉及的数据来自当地教育局、调研学校和研究团队发放的调查问卷，调研截止时间为 2018 年 5 月底。

展各项工作，采取的主要措施有以下几项。

1. 着力打造义务教育均衡发展的坚实基础

强化政策保障。成立由县长任组长的教育工作领导小组，并落实领导小组联席会议制度，定期召开专题会议，集中研究和解决义务教育均衡发展工作中存在的问题和困难；制定《冕宁县关于推进县域义务教育均衡发展工作推进方案》等重要文件，有序、有力地推进义务教育均衡发展；实行县政府“一把手”负总责、分管领导具体负责、各相关部门协同配合的工作机制，从县到乡镇到职能部门再到学校层层签订目标责任书，明确并落实各乡镇、职能部门及学校的职责、目标、任务；县级领导经常组织深入学校，了解学校情况和实际困难，切实解决学校的难点问题和突出问题；针对义务教育均衡发展推进工作，分三个小组每半月开展一次“大督查”，督促相关部门、乡镇和学校及时整改薄弱环节。

强化经费保障。始终坚持“以县为主”的管理体制，确保财政资金优先保障教育投入，将义务教育经费全额纳入财政预算；建立义务教育经费稳定增长机制，保障财政对教育投入的“三个增长”；及时征收教育费附加和地方教育费附加，并全部用于教育；农村税费改革转移支付资金用于义务教育的比例均超过 45%；建立教师工资保障机制，将教师工资纳入财政足额预算，确保教师工资按时足额发放；建立贫困学生助学机制，全面落实教育惠民政策；建立中小学校舍维修改造长效机制，将校舍维修、改造纳入社会事业发展计划和基础设施建设规划，并将所需经费纳入财政预算。

强化宣传保障。在电视台设置义务教育均衡发展宣传栏，以动态、系列专题、新闻等方式对义务教育均衡发展进行解读和宣传，并及时报道全县义务教育均衡发展推进工作情况；充分利用报刊、会议、简报、短信等形式，大力宣传义务教育均衡发展工作的重要性；各部门、乡镇、学校通过悬挂宣传标语，制作宣传橱窗、板报等方式宣传义务教育的重要性，营造全面参与支持、关心均衡发展的浓厚氛围。全县上下协调联动，齐力推进，确保义务教育均衡发展宣传工作有序推进。

2. 着力推进义务教育阶段学校标准化建设

2011 年以来，冕宁县累计投入近 4.9 亿元，从布局调整、办学条件等方面，全面推进学校标准化建设，逐步缩小城乡间、学校间办学水平差距，全县义务教育学校办学条件得到均衡发展。

合理调整学校布局。按照教育长远规划，遵循学生不辍学、资源不流失的原则，采取“小学低段就近入学，小学高段向乡镇中心校集中，初高中向片区、县城集中，扩大寄宿制学校规模”的方式，结合广大人民群众对子女“入好学”的实际需求和省州教育督导组的意见及建议，对全县学校进行布局调整。将全县义务教育阶段村完小及以上学校调整至 54 所，盘活了全县教育资源，促进了县域内教育资源的均衡，实现了“校点调少、规模调大、队伍调优、质量调高”的目标。同时，采取新建新区小学、迁建冕宁中学的方式，增加爱城区教育资源总量，合理分流城区生源，有效整合教育资源，切实化解城区中小学“大班额”现象。

合理改善基本办学条件。“十二五”期间，冕宁县整合各级各类资金 2.8 亿元，用于义务教育学校改善办学条件。2016 年，为全面推进义务教育均衡发展工作，冕宁县采取政府购买服务的方式，实施公益性建设项目，并整合各级政府财政资金共 2.1 亿元，新建教学楼、综合楼及食堂 49 920 平方米，征地 103.3 亩，改扩建运动场 54 190 平方米。采取 PPP（public-private partnership）模式（即政府和社会资本合作的项目运作模式）注入 3 亿资金推进冕宁中学迁建项目，加快实现了冕宁二中与冕宁中学两校资源的整合，从根本上解决了冕宁二中办学条件不足的难题，全面改善了义务教育学校办学基本条件，统筹了城乡义务教育资源配置，推动了义务教育均衡发展。

加快教育现代化建设。2012 年，凉山州率先启动教育信息化工程，建成县级教育城域网系统、课堂教学录播系统、视频教学研究系统、中小学校园安全监控系统、中小学校教师电子备课室系统、中小学多媒体数字化教室等六大系统；全县 19 所学校 442 个班实现“班班通”，多媒体覆盖率达 62.8%，75%以上的中小学生能享受到先进教育资源，城乡义务教育办学条

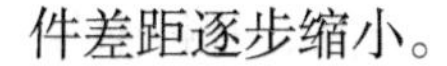

件差距逐步缩小。

3. 不断激活义务教育均衡发展的内生动力

引进优秀教师。2015—2017 年，通过到高校选聘、公开招考、外县调入、特岗教师计划等多种方式补充教师 348 人，同时注重音乐、体育、美术等艺体教师的补充，全县小学专任教师学历合格率达到 100%，中学专任教师合格率达 99.88%。进一步优化教师配备，将省下达的中小学教职工编制全部核定到校，无截留、挪用教师编制现象，小学生师比为 21.55：1，初中生师比为 17.10：1。

提高教师待遇。落实教师教育教学质量奖励制度，激发教师教学热情。

加强教师培训。推进与华中师范大学的校县合作，依托华中师范大学的优质教育资源，加强对校长和骨干教师的培训。通过国培、省培、州培、县培等多种方式，对教师开展全员培训，坚持举办和参与岗位练兵、技能竞赛等系列活动，从业务专长、知识积累、理论高度三角度打造注重强师德、优行风的学习型、研究型、创新型的教师队伍。

提升校长管理水平。通过校长培训、挂职锻炼、定期轮岗交流、城乡学校结对帮扶等形式，搭建行之有效的校长培训交流平台。

4. 努力彰显教育均衡发展的特色内涵

教研一体化。坚持科研兴校、科研兴教，以实施新课程为目标，以校际合作、区域联动、优势互补为路径，打破县、乡、学校自上而下的单向教研方式，全面构建县级教研、联片教研、校本教研的三级教研网络，形成以解决教学问题为中心、教学片区为平台、学校为基地、教师研究为主体的一体化研修模式。近年来，冕宁县获教育科研课题研究成果奖省级 6 项、州级 31 项、县级 35 项，获国家基础教育研究中心科研先进集体 2 个、先进个人 2 个，州政府优秀成果奖 4 项、县政府科技进步奖 3 项，推荐教师参加各级各类论文评选，111 篇获国家级奖、65 篇获省级奖、123 篇获州级奖。

办学特色化。按照“学校有特色、学生有特长”的工作思路，积极引导中小学走个性化、特色化、品牌化的内涵发展之路。2017 年，泸沽中学已建成“四川省高水平体育后备人才训练基地（拳击）”，冕宁二中、泸沽中学、城厢小学、泸沽小学参加四川省历届中小学生艺术节，并获得省级一等奖、二等奖、三等奖，国家级二等奖。

5. 全力构建义务教育均衡发展的和谐环境

规范办学行为。进一步加大宣传力度，建立健全“控辍保学”和“六长”（县长、教科局局长、乡镇长、校长、村主任或社区主任、家长）责任制，严格执行义务教育阶段就近划片招生制度，完善中小学生入学管理办法，形成政府、各职能部门、学校齐抓共管的工作格局，确保适龄儿童、少年的入学率和巩固率。2016 年，小学学龄人口净入学率达 99.95%，初中净入学率为 99.01%。进一步推进高中招生制度改革，确保优质普通高中招生计划指标到校政策全面落实，优质普通高中招生计划定向切块分配到所在辖区内每一所初中学校的比例达到 50%。进一步落实均衡编班，严禁组织选拔性入学考试，义务教育阶段学校不得根据入学成绩分设重点班、普通班，以确保每位学生公平接受教育。

关爱学生身心健康成长。一是关爱进城务工人员子女，在确保适龄儿童全部入学就读的基础上，指定学校专门招收符合条件的进城务工人员子女入学。2015—2017 年，义务教育阶段学校累计安置随迁子女 2526 人。二是关爱家庭贫困学生和农村留守儿童。认真实施国家“三免一补”等惠民政策，全县义务教育阶段学生全部享受免学杂费、免教科书费和免作业本费，全县营养改善计划普惠率达 100%。2013—2015 年，25 500 人次享受寄宿制生活补贴，共计 2650 万元；40 437 人次享受学前教育儿童保教费减免，共计 2153 万元；4879 人次享受普通高中家庭经济困难国家助学金，共计 763 万元，免除 4195 名普通高中家庭经济困难学生学费，受助资金共计 259 万元。切实做到了义务教育应免尽免，着力减轻了贫困学生的家庭生活负担。积极建立并完善农村留守儿童关爱体系，健全留守儿童档案和联系卡制度，每年开展给农村留守儿童、特殊群体学生送温暖活动，2016 年关爱留守儿童 5336 人。三是关爱残疾儿童少年。建立“三残儿童”入学保障制度，做好“三残儿童”随班就读和送教上门相关管理工作，县特殊教育中心的投入使用，进一步拓宽了“三残儿童”的入学渠道，2016 年“三残儿童”的入学率达 96%。

2016 年 10 月，冕宁县按照《四川省县域义务教育均衡发展督导评估实施办法（执行）》，对全县义务教育均衡发展工作开展了认真的自查自评，并经州政府教育督导组复核认定。冕宁县义务教育阶段学校基本办学条件达标率为 100%；学校间综合差异系数小学为 0.28，初中为 0.16，均小于省定标准的 0.65 和 0.55；县人民政府推进义务教育均衡发展工作的得分为 94 分；公众满意度问卷调查满意率为 97%，顺利通过州级复核。

（三）冕宁县义务教育中存在的主要问题

1. 校长的信息化领导力有待提升

研究团队在调研过程中，对 15 所学校的校长进行了访谈。从访谈结果看，校长的信息化领导力还有待提升，主要体现在以下几个方面。

校长的信息化引领作用体现得不明显。超过 70%的校长因为行政事务繁忙，放弃了原来负责的主要学科教学，转向音乐、体育、美术等课程，一般会运用信息技术辅助教学，但信息化教学水平不高，不能成为其他老师的榜样。其中有 2 位校长对信息技术应用持有怀疑态度，1 位校长认为电子白板教学会对学生健康造成危害，1 位校长认为信息技术应用水平高的老师，课不一定上得比他好。

校长对学校信息化建设与应用的规划设计能力不够。90%以上的学校没有制定信息化发展规划，也不清楚应该规划哪些内容，而是等待政府的各类项目或工程的建设机会。

校长在信息化教学应用的组织实施方面普遍缺乏经验。大部分学校的教师都具备了基本的信息素养，能够利用 PPT 和视频辅助教学，但多数为老师的个体行为，学校缺乏统一的推进措施。90%的校长并不了解教师在信息化教学过程中的困惑或困难，对于应用能力差的老师也并没有提供帮扶。

大多数校长不能对教师的信息化教学应用效果进行评估。大部分校长都赞同信息化教学能提高教学质量，但是不知道从哪些方面能看出信息化教学的效果。对教师的信息化教学应用效果，大多数校长抱着只要用了就一定好的态度，而没有科学可靠的方法对其进行评估。

2. 教师的信息化应用能力有待进一步提升

研究团队通过对调查数据进行统计分析，发现不同学段教师的信息化教学水平按照高中、初中、小学、职校的顺序排列，说明初中和小学教师的信息技术能力有待进一步提高。信息技术课程（包括创客活动课）、其他技术和设计类活动课程教师的信息技术水平高于数学、物理、化学等理科课程教师，理科类课程教师的信息技术水平高于语文、英语、历史等文科类课程教师，而文科类课程教师的信息技术水平又高于音乐、体育、美术、德育等课程教师，不同学科教师的信息技术水平存在较明显的差异，文科类课程教师和音乐、体育、美术、德育等课程教师的信息技术应用能力有较大的提升空间。不同年龄段教师的信息技术水平按照如下顺序排列：31—35 岁、小于 25 岁、25—30 岁、41—45 岁、46—50 岁、51—55 岁、36—40 岁、56—60 岁。可见，中老年教师的信息技术水平还有较大的提升空间。

3. 网络问题

大部分学校的教室没有接通网络或者网速过慢，无法使用网络资源授课。90%的学校尤其是学生人数少、生均公用经费少的学校，认为网络费用加重了学校的经费支出负担。基本上，每所学校都接通了 3 条及以上的宽带，每月费用在 600—1500 元。部分学校的信息化设备存在老旧情况，以及故障维修不及时的情况，影响了课堂正常教学。

（四）冕宁县部分学校调查实录

以下文字来自研究团队于 2018 年 5 月对冕宁县部分中学的调查报告，

能部分反映这些学校的基本情况。

1. 漫水湾中心小学

漫水湾中心小学隶属于冕宁县漫水湾镇，该镇地处冕宁县南部，总人口 1 万余人。中心校的招生范围覆盖周边西河、松林、杠河、黄土坡、沙耳 5 个村的 24 个村民小组。现有学生 1330 人，6 个年级，24 个教学班；56 名教师（包括 2 名特岗教师），其中本科学历 8 名、大专学历 43 名、中专学历 5 名。25 岁以下教师 2 名，25—35 岁教师 12 名，36—50 岁教师 30 名，50 岁以上教师 12 名。

学校有 1 间计算机房，共有 70 台计算机，其中 5 台为办公用机；配备 1 名专职信息技术老师；学校网络带宽为 100 M。学校共有 24 间教室，全部安装了电子白板等多媒体教学设备，但电子白板为 2012 年购置，老化严重，只能勉强使用，其中 12 间教室连接了互联网。

学生和教师人数变化大。学生数从三年前的 800 多增加到现在的 1330 人，共有 24 个班。教师人数由 38 人增加到现在的 56 人。周边的适龄儿童多，招生压力大，主要原因是自主搬迁户较多，占 1/3。学校开设有书法课，组建足球队。音乐有专职教师，美术、体育均为主课教师兼职。

校长任教书法和道德与法治课程，会运用 PPT 和视频进行授课。校长很支持教师使用信息技术，原因有以下几点：使用信息技术后，学生注意力更容易集中，班级整体成绩变化明显，能开阔学生视野，能提升学生信息素养。校长参加过相关培训，对各级教育信息化相关政策较为了解。校长认为学校的信息化资源使用率较高，每周 15 节课，能有 10 节课使用。

办学中存在的主要问题：第一，薄改工程资助的电子白板出现老化现象，但因该项目已结束，设备如需更新需要学校自己承担经费。第二，设备维护不及时，故障报给装备站，装备站又退给厂商，而远在州里的厂商技术人员并不能及时到位。

2. 漫水湾中学

漫水湾中学隶属于冕宁县漫水湾镇，现有教师 33 人，学生 403 人，初一、初二和初三总共 11 个教学班。教师数 33 人，其中特岗教师 3 人；本科学历 19 人，大专学历 14 人；35 岁以下教师 5 人，36—50 岁教师 12 人，50 岁以上教师 16 人。全校 11 个班均配有电子白板。学校建有 1 间计算机房，共有 50 台计算机。学校办公室和计算机房连接了互联网，带宽为 100 M。

研究团队对学校校长进行了访谈，了解到学校当前办学面临的主要困难是生源不好，教师压力大。由于少数民族学生比例高，语言问题给教学带来了困难。对本校学生来讲，课程难度需要降低。学校学生人数近三年明显减少，由三年前 500 多人减为 400 人。减少的主要原因是学生向西昌等地流失。学校少数民族学生数量在增加，但他们普遍汉语不太好。学校教师年龄普遍偏大，对信息技术的掌握情况不是太理想。校长认为教师的 PPT 做得好，也不一定能够吸引学生，上课质量也不一定好。

第二节　县域义务教育面临的主要问题

一、农村教学点问题

农村教学点大多处在偏远、贫困地区，教育资源与其他地区相比存在差距，经费少、师资缺、质量差等问题长期存在，成为制约我国义务教育健康稳定发展的“最后一公里”。提升农村教学点的办学水平对于促进义务教育均衡发展具有十分重要的意义。研究团队调研后发现，农村教学点存在的问题主要表现在以下几方面。

1. 教学质量堪忧

第一，开不齐课。一些农村教学点的音乐、体育、美术等学科教师严重不足，开不齐课的现象普遍存在。表 2-2 为研究团队对部分调研区域三门课程开设情况的调查结果。从中可以看出，四川开不齐课的情况最严重，比例超过 70%，云南开不齐课的比例在 50%左右，吉林的情况稍好，但也达到了 35%。

表 2-2　调研区域教学点音乐、体育、美术课程开设情况　　单位：%

地区	全部开设比例	开设 2 门比例	开设 1 门比例	全不能开设比例
云南（三个县）	57	16	14	13
四川（四个县）	24	29	24	23
吉林（一个县）	65	22	13	0

第二，开不好课。教育思想观念和教学方式陈旧落后，传统的“好好听讲”的观念、讲授—接受式教学方式仍然占据主导地位。课程教学质量堪忧，尤其是体育和艺术类课程，一些教学点虽然开设了这些课程，但主讲教师并非专业出身，体育课“随处放羊”、音乐课“唱歌走样”、美术课“欣赏欣赏”的现象较普遍，“几乎没有专业教学规划和规范，学生良好的学习习惯和行为习惯很难养成”①。

2. 师资问题不容忽视

第一，新力量“进不来”。国家为支持农村教育发展，相继出台了一系列政策，如《农村义务教育阶段学校教师特设岗位计划》《教育部直属师范大学师范生免费教育实施办法（执行）》《乡村教师支持计划（2015—2020年）》和城镇教师支教政策等。但在调查中，研究团队发现特岗教师、免费师范生和乡村教师支持计划支持下的新进乡村教师很难流向或者留在农村教学点。有些新进教师因不适应环境而离职，有些新进教师被乡村初中和乡镇小学截留，支教教师因为支教时间短、与家庭分离、支教影响其在原单位的发展等各种原因，往往“身在曹营心在汉”。

第二，优秀教师“留不住”。据研究团队对调查区域共 46 个农村教学点负责人的访谈，大部分负责人表示教学点留住优秀教师很困难。有些教师经过数年锻炼后成为教学能手，被中心校或其他学校“挖走”，剩下的绝大多数是年龄偏大的“留守教师”。

① 付卫东. 教育信息化与义务教育优质均衡发展[J]. 贵州师范大学学报（社会科学版），2016(6)：68-73.

第三，留守教师“教不好”。一是留守教师大多学历低、教学水平低、年龄偏大。如云南某县教师的平均年龄为 47 岁，50 岁以上年龄的多是民转公的老教师，教学能力低，对新鲜事物接受能力弱。研究团队从教育局获知“孩子们懂得的新东西，老教师们见过就不错了”，“老教师学习计算机很困难，上课时经常是孩子们教他们怎么操作”。为保障教学质量，许多学校采取年轻教师和老年教师交叉教学的办法，老教师上单数年级，年轻教师上双数年级，教学质量上形成“抓一年，放一年”的局面。二是贫困地区尤其是贫困山区孩子大多数是留守儿童，或者离家远，住校生多。教师往往要身兼数职，对学生“管吃”“管住”“管病”“管安全”，承担了许多本应由孩子监护人承担的责任，挤占了本应放在教学准备和业务提高上的时间。

3. 留守儿童问题突出

第一，比例高。经济和社会发展越落后的地区留守儿童比例越高。例如，四川凉山州全州 6—16 周岁的留守儿童数量近 4 万，占全州该年龄段学生的 5%。东部五县彝族占绝大多数的地区比例更高，达到 30%。6—9 周岁的低龄留守儿童比例在留守儿童中所占比例较高，东部地区达 50%。第二，行为、心理健康问题突出。留守儿童多是隔代监护，监护人监管能力弱，受教育水平低。留守儿童存在不遵守纪律和道德规范的问题。长期的亲子分离往往让留守儿童在情感发展方面容易存在缺陷，留下情感创伤和心理问题。第三，安全问题不容乐观。针对留守儿童的侵害、拐卖事件频发，自杀、事故死亡等现象严重。

二、教育质量问题

面对社会的快速发展和知识经济的到来，各行各业都在不断革新，信息化和经济全球化更对学校的人才培养提出了新要求。人们越来越意识到，教育不应该仅致力于帮助学生获得尽量多的知识，而应该将关注的重点转移到学习者获取知识的方法上，让他们终身都能够根据需要随时进行学习，自主修正和完善自身的知识体系，即实现终身学习。联合国教科文组织在 20 世纪就提出教育要帮助学生“学会做人、学会做事、学会学习、学会与他人共同生活”的终身教育思想。[①]

我国各级各类学校一直在尝试不同程度的课程改革，但成效不是很显著，3R（reading、writing、arithmetic，即读、写、算）能力一直是学校对学生培养的重点内容，这样很难培养出真正适合当今社会需要的综合型、创新型人才。一方面，在现代社会不断走向全球化、信息化并强调个性化的今天，具有较强创新能力、沟通能力、问题解决能力、合作能力的新型综合人才显得更加重要，这需要学校针对培养目标进行教学内容、方式、方法上的调整。另一方面，面对未知的世界和持续变化的社会，人们必须学会适应各方面事物的瞬息万变并及时调整自己，这使得终身学习能力、反思能力、应变能力等成为新型人才必须具备的基本能力。为适应社会发展对新型人才的需要并帮助学习者更好地适应未来生活，学校教育应该转变传统的 3R 培养模式，转向更加注重学生 4C（communication，creativity，collaboration and critical thinking and problem solving）能力，即沟通能力、创新能力、合作能力和批判思维与问题解决能力，以及信息通信技术（information and communication technology，ICT）能力的提升。从这个角度来说，传统的接受式学习已经不能适应学生能力发展的需要，基于多样化学习资源和学习空间的自主学习、合作学习、探究性学习显得更加重要。

因此，在技术发展改善学校教学环境、优化教育教学资源的同时，更应该促进教育教学模式和学生学习方式的转变，即利用教育信息化变革现有教育教学模式和方法。如何恰当使用现代科学技术，合理地组织和安排教学活动，将教学重心逐渐由教师的教转向学生的学，进而实现人才培养模式从知识型人才和学习型人才向学习型人才与创造性人才的转变，是当前教育需要考虑的一个关键问题。

---

① 国际 21 世纪教育委员会. 教育——财富蕴藏其中[M]. 联合国教科文组织总部中文科，译. 北京：教育科学出版社，1996：2.

三、教育教学生态重构问题

如果将课堂看成是一个由教师、学生、课堂教学环境、教学资源等基本要素及其之间的相互作用共同构成的生态系统[①]，那么整个教育体系就是一个更为宏观的生态系统。但是，不论是大型生态系统还是微型生态系统，要保证正常的生态平衡不被破坏，就需要维持各要素之间的动态平衡状态。当前，教育信息化给传统的课堂教学环境带来了一系列的变化，使原有的课堂教学生态及整个教育生态都发生了结构性的变化，这时就需要生态系统中各要素相互调整，以维持生态系统的动态平衡状态。不可否认，在教育这个特殊的生态系统当中，人是教育活动的主体，是整个系统中的核心要素。因此，在教育变革的过程中，一定要考虑这一重要因素，即教育者和受教育者。从学生角度来说，新型的教育方式、方法、教学组织形式及教育资源的呈现形式等，都要适应他们的认知特点与学习风格，同时更要适合他们的发展需要；从教师角度来说，变革的实施要在教师的能力范围之内，以保证他们能够对课堂教学进行有效指导，进而保证改革过程中教育教学活动的正常开展。因此，在进行教育变革的过程当中，既要考虑新兴技术、方法的引入给教育教学带来的革命性变化，更要针对教师、学生及教育教学活动的实际需要进行适当调整，在维持系统动态平衡的过程中，使其朝着正确的方向稳步前进。

从当前的教育发展情况来看，存在两种极端情况：①在新兴技术和方法的引入过程中，存在忽视本地教师、学生的特点及其教育教学需要，直接照搬国外或其他地区的教育模式或方法的问题，这必然会产生“水土不服”的现象，导致课堂教学乃至整个教育系统的混乱。②人们认为传统的教育体系已经历长时间的考验，面对新事物的到来，只需要做一些临时性的点滴改良和自动化的调整即可，不需要进行整体性的变化，但结果总是让人失望，甚至招来各方面的批评抑或是对整个教育体系的怀疑。实际上，要维持课堂或

---

① 张立新，徐飞飞. 论虚拟课堂的生态属性及其管理[J]. 中国电化教育，2014(2)：1-5，12.

教育体系这一大的生态系统的稳定发展，就要保证其处于动态平衡状态，即构建共生、适度、和谐的教学环境，维持需求系统内各要素之间的平衡，以保证学生的长期稳定健康发展。不论新技术的引入还是教育教学改革的开展，都是以促进教育教学活动有效开展、保证学生全面健康发展为基本原则和最终目的的。因此，在实施过程中要充分考虑学生的认知特点和教师对课堂实施的有效把握，以保证教育改革对整个教育系统持续、稳定向前发展的有效推动作用。尤其是在云计算、大数据逐渐融入教育领域的今天，云端一体化学习环境的搭建、各类移动终端设备的应用逐渐打破了原有的课堂教学的时空局限，这时更应该充分考虑教师、学生及其他要素的特点及相互关系，在保证系统动态稳定发展的基础上推动教育领域的整体性变革。

第三章　我国解决义务教育均衡发展问题的主要措施

第一节　农村中小学现代远程教育工程

一、工程简介①

农村教育在全面建成小康社会中具有基础性、先导性、全局性的重要作用。我国教育的重点和难点在农村中小学，特别是中西部地区的农村中小学，在教学条件、教育资源、教师水平和教学质量等方面与发达地区存在一定差距。为了促进城乡之间、区域之间和学校之间优质教育资源共享，提高农村义务教育质量进而提升我国教育的整体水平，国务院于 2003 年 9 月召开了全国农村教育工作会议，并下发了《国务院关于进一步加强农村教育工作的决定》，明确提出要实施“农村中小学现代远程教育工程”（简称“农远工程”），促进城乡优质教育资源共享，提高农村教育

① 教育部. 同在蓝天下，共享优质教育资源——全国农村中小学现代远程教育工程介绍[EB/OL]. http://www.moe.gov.cn/jyb_xwfb/xw_fbh/moe_2069/moe_2095/moe_2100/moe_1851/tnull_29185.html，2007-11-30/2022-04-14.

质量和效益。

工程的总目标是：到 2007 年底，通过实施“农远工程”，使农村中小学和教学点拥有教学光盘播放设备和成套教学光盘，农村小学具备卫星教学收视点，农村初中基本具备计算机教室，初步形成农村教育信息化的环境，实现优质教育资源共享。

“农远工程”采用三种模式开展。模式一采用教学光盘的方式提供资源给教师使用，教师可酌情采用教学光盘为主或者教师为主、教学光盘为辅的方式开展教学。模式二由中国教育卫星宽带网传输平台每周向农村中小学免费发送教学资源，教师可根据需要在课堂教学中直接播放卫星电视节目，或者对资源进行整理加工后用于课堂教学。模式三是配备计算机教室，对象为农村初中，并配备卫星接收系统、网络计算机教室、多媒体教室、教学光盘播放设备。其特点是除具备模式二的全部功能外，还能够为学生提供网络条件下的学习环境。

二、实施效果①

据统计，到 2007 年年底，“农远工程”完成投资共 111 亿元，其中中央专项资金 50 亿元，地方投资 61 亿元，超出计划 11 亿元。届时，三种模式覆盖中西部的农村中小学，现代远程教育网络将使 1 亿多农村中小学生得以共享优质教育资源。“农远工程”在满足农村中小学教育教学需要、培养教师远程教育应用能力、提升教育教学效果方面取得了良好效果。

第一，形成了基本满足农村中小学教育教学需要的资源体系。以小班教学为主的教学光盘资源已经覆盖小学所有年级和学科，为农村初中提供了名师名课、示范课、教学实验、教学素材等教学光盘，教学多媒体资源覆盖初中 9 个学科和小学 8 个学科，共 4129 个学时。视频资源覆盖初中 11 个学科

① 教育部. 同在蓝天下，共享优质教育资源——全国农村中小学现代远程教育工程介绍[EB/OL]. http://www.moe.gov.cn/jyb_xwfb/xw_fbh/moe_2069/moe_2095/moe_2100/moe_1851/tnull_29185.html，2007-11-30/2022-04-14.

和小学 7 个学科，以及专题教育（安全教育、少先队活动、远离毒品等）、科学人生、世纪讲坛和学科实验等资源，共 2099 小时。教学素材资源 7692 条。这些资源通过中国教育卫星宽带网传输平台按照教学进度每周向农村中小学免费发送。

第二，培训了一支初步掌握远程教育应用能力的农村教师队伍。国家级培训采取了集中培训和送培下乡相结合、培训骨干教师和全员培训相结合、面对面和远程培训相结合的方式，把培训送到县、送到乡、送到项目学校。国家级面对面培训先后培训了近 15 000 名一线教师。各项目省也根据本省实际，采取不同方式，为每所项目学校培训 1—2 名一线教师，已有 80 多万名教师接受了较为系统的远程教育应用培训。

第三，三种模式的应用取得明显成效，远程教育应用大面积普及。模式一多种教学方式的广泛应用，有效缓解了师资水平不高和教师结构性短缺的问题，特别是农村小学和教学点利用教学光盘播放设备开出了过去没有条件开设的英语、音乐、美术等课程；模式二快速、大面积、大容量传输优质教育资源的特点，大大丰富了教学内容，实现教学方式多样化；模式三的应用改变了农村中小学开不出信息技术课的局面，为学生提供网络条件下的学习环境，为学生开展创新活动创造了条件。

第二节　教学点数字教育资源全覆盖项目

一、项目简介

为促进区域、城乡、校际优质教育资源共享，实现基础教育均衡发展，教育部积极贯彻落实十八大精神和全国教育信息化工作电视电话会议精神，并根据《国务院办公厅关于规范农村义务教育学校布局调整的意见》《教育部等九部门关于加快推进教育信息化当前几项重点工作的通知》的要求，于

2012 年 11 月启动实施了教学点数字教育资源全覆盖项目，旨在用两年时间为农村义务教育学校布局调整中确需保留和恢复的教学点配备数字教育资源接收和播放设备，配送优质数字教育资源，并以县域为单位，发挥中心校作用，组织教学点应用资源开展教学，利用信息技术帮助教学点开好国家规定课程，提高教育质量，促进义务教育均衡发展，更好服务农村边远地区适龄儿童就近接受良好教育的需要。

教学点数字教育资源全覆盖项目以开足、开好国家规定课程为目标，支持各教学点建设可接收数字教育资源并利用资源开展教学的基本硬件设施，并通过卫星传输方式，推送数字教育资源至各教学点。有条件的地区，可在中央支持的基础上进一步增加投入，提高设备和资源应用水平。具备网络接入条件的还应配备摄像头，利用网络建立亲子热线，满足教学点留守儿童与外出打工父母的交流需要。[①]该项目按“农村义务教育薄弱学校改造计划”（薄改计划）组织实施模式和渠道实施。中央对各省（区、市）实行目标管理。教育部负责项目总体统筹协调，制定总体方案与进度安排，对项目执行进行指导和监督检查，协助各地进行数字教育资源的管理与推送。各省（区、市）负责根据教育部的总体方案制定本地区项目的具体实施方案，统一组织设备招标、采购和安装，组织提供适合本地区教学点实际需求的数字教育资源。组织教学点教师应用能力培训。督促指导并组织教学点应用配备的设备和教育资源开展教学。负责组织技术力量，做好项目设备管理与维护。各教学点硬件配置至少需达到教育部提出的项目基本技术方案的要求，基本硬件配置所需经费主要由中央财政支持解决。

二、实施效果

在各地政府的大力推动下，教学点数字教育资源全覆盖全面实现。截至

① “教学点数字教育资源全覆盖”项目技术方案（基本方案）[EB/OL]. http://jxd.eduyun.cn/cms/jxds/xmdt/20130619/343.html，2013-06-19/2017-03-11.

2014 年 11 月底，全国 6.4 万个教学点全面完成了教学点数字教育资源全覆盖项目建设任务，实现设备配置、资源配送和教学应用“三到位”。[①]教学点课程开齐率大幅提升，尤其是音乐、美术、英语等课程开课率显著提升，一师一校型教学点的效果尤其明显。随着项目逐步实施推进，农村边远地区教学点长期以来缺师少教、无法开齐开好国家规定课程的问题得到有效解决。总体来说，教学点数字教育资源全覆盖项目推动了区域、城乡、学校之间优质教育资源的共享，为促进我国义务教育均衡发展发挥了巨大作用。

第三节　农村中小学布局调整

农村中小学布局调整（亦称“撤点并校”），是指从各地区的自然条件和经济社会发展需要出发，将比较分散的农村中小学和教学点适当集中起来，重新进行区域内中小学网点布局和规划，以提高区域内教育资源的利用效率，改善农村学校办学条件，提高农村学校办学质量，促进区域内义务教育均衡发展。

一、农村中小学布局调整的背景

我国农村中小学布局调整始于 20 世纪 90 年代中后期，是我国税费改革的重要组成部分，也是我国社会转型与发展中的必然现象。

（一）农村适龄人口减少的选择

20 世纪下半叶以来，我国人口增长方式发生了历史性转变，由高出生率、高死亡率、低增长率过渡到高出生率、低死亡率、高增长率，再转变到

① 2014 年全国教育信息化工作专项督导报告发布[EB/OL]. http://www.edu.cn/xxh/tpxw/201504/t20150420_1249712.shtml，2015-04-20/2018-05-25.

目前的低出生率、低死亡率和低增长率。农村人口出生率的下降、适龄儿童的减少，导致农村中小学校生源不足，学校规模、班级规模过小，甚至有部分农村中小学只能隔年招生，在原本教育资源不足的基础上又出现了资源浪费。有学者对我国中西部6省区进行了相关调查，结果显示，0—14岁儿童的数量在普遍减少，在总人口中所占的比例也在降低。其中，河南由2001年的25.94%下降到2008年的21.14%；陕西由25.00%下降到19.76%；内蒙古由21.28%下降到17.10%；广西和云南少数民族比较集中的地区，人口下降的幅度要小一些，但也呈下降趋势，2008年比2001年分别下降了2.48%和1.95%。[①]

农村生源呈锐减趋势，不利于合理配备师资和集中财力改善办学条件，导致学校基础设施简陋、办学条件差、师资结构性短缺、学校难以管理等问题突出。

（二）农村税费改革的要求

进入21世纪后，为减轻农民负担，规范农村收费行为，中央提出对农村税费制度进行改革。2000年，《中共中央、国务院关于进行农村税费改革试点工作的通知》提出，取消专门面向农民的各种行政事业性收费、政府性基金和涉及农民的集资项目，精简乡镇机构和压缩人员，适当合并现有乡村学校，对教师队伍进行必要的整顿和压缩。

2001年3月，《国务院关于进一步做好农村税费改革试点工作的通知》指出“农村税费改革必须相应改革农村义务教育管理体制，由过去的乡级政府和当地农民集资办学，改为由县级政府举办和管理农村义务教育，教育经费纳入县级财政，并建立和完善农村义务教育经费保障机制，加强县级政府对教师管理和教师工资发放的统筹职能，将农村中小学教师工资的管理上收到县，由县级财政按国家规定的标准及时足额发放”。同时提出，“要进一步优化教育资源配置，合理调整农村中小学校布局。根据实际情况适当

① 曾新. 农村中小学布局调整与义务教育均衡发展问题研究[D]. 华中师范大学，2012.

撤并规模小的学校和教学点，提高农村学校办学效益。精简和优化中小学教师队伍，坚决辞退代课教师，依法辞退不合格教师，压缩农村中小学校非教学人员，清退临时工勤人员”。同年7月，教育部印发《全国教育事业第十个五年计划》通知，指出“调整学校布局结构，使人才在产业、地区的分布更加合理。适应城镇化进程和学龄人口波动的需要，按照小学就近入学、初中相对集中、优化教育资源配置的原则，合理规划和调整中、初等学校布局”。

自此，在农村适龄人口减少、税费改革和义务教育管理体制改革的背景下，持续十年的农村中小学布局调整在国家和地方政府的主导下，层层推进。据统计，教学点数量从 2000 年的 178 060 个减少到 2010 年的 66 941 个，减幅达 62.41%，平均每年减少 11 112 个。[①]通过布局调整对规模较小的学校进行合并，基本上形成了一镇（乡）一所中心校或寄宿制学校、若干所完小、初小或教学点的格局。[②]

二、农村中小学布局调整的成效

（一）促进了教育资源的合理配置

在布局调整之前，各地农村中小学普遍存在着布局分散、校点过多、学校规模过小、需要改造的危房过多等问题。由于教育资源的投入具有整体性和不可分割性，无论学校规模大小，都需要有校舍建筑和教学设备等固定资本投入，一级教师、行政管理人员等人力资源投入，这使得本来就短缺的资源过于分散，难以形成规模效益。当规模小的学校和一些教学点被撤并以后，各地就能将有限的教育资源集中使用，从而解决过去分散办学时普遍存在的教育资源利用效率低下的问题。

① 杨旭，马龙. 农村校调整 还需细掂量[EB/OL]. http://theory.people.com.cn/n/2012/1119/c226269-19621821.html, 2012-11-19/2022-08-31.

② 范先佐，郭清扬，赵丹. 义务教育均衡发展与农村教学点的建设[J]. 教育研究，2011(9)：34-40.

（二）提高了农村学校的规模效益

农村中小学布局调整不仅促进了教育资源的合理配置，而且有利于农村学校形成适度规模，提高规模效益。所谓学校适度规模，是指在教育的其他条件不变的情况下，学校拥有恰好可以使所有资源得以充分和恰当利用，并在不违背教育规律的前提下，保证培养规格、教育质量不受影响的合理限额的班级数和学生数。因此，学校规模是判断和评价农村中小学布局是否合理的主要标准之一。因为在教育资源一定时，如果学校过多、单个学校规模较小，那么每所学校就无法发挥规模效益，必然导致教育资源的利用效率低下。农村中小学布局调整后，学校数量得以减少，每所学校可支配的教育资源大大增加，形成了规模效益，因此教育资源利用效率得到整体提高。

（三）促进了区域内教育的均衡发展

有调查显示，农村中小学布局调整以后，一些基础设施较好、教学质量较高的农村中心校，由于投入加大、资源集中，办学条件在当地农村达到一流水平，其基础设施、师资水平、教学仪器设备、管理水平等也朝着与城镇水平差距缩小的方向发展，在这样的情况下，农村学龄儿童可就近接受高质量、高水平的教育。[①]

布局调整对于推动县域、乡域教育均衡发展也起到了积极作用。当前，农村教育管理体制的一个重要特点就是县级政府负有组织实施义务教育方面的主要责任，包括统筹管理教育经费、调配和管理中小学校长和教师、指导中小学教育教学工作等。因此，虽然一个县域内各乡镇的经济发展程度有差别，但县级政府有权对全县的教育经费进行统筹安排，以及对全县的教育资源进行布局和调整，这对促进县域、乡域教育均衡发展有着十分积极的意义，为进一步缩小城乡差距打下了良好基础。

---

① 范先佐，郭清扬. 我国农村中小学布局调整的成效、问题及对策——基于中西部地区 6 省区的调查与分析[J]. 教育研究，2009(1)：31-38.

（四）提高了农村学校的教育质量

追求教育质量的提高是农村中小学布局调整的重要目的。布局调整后，教育资源得到合理配置，办学条件得到改善，另外，布局调整清退了大量民办教师，改变了以往农村教师“教书农活双肩挑”的局面，教师能更专心于教学工作，有更多的时间指导学生的学习和成长。

三、农村中小学布局调整中存在的问题

农村中小学布局调整过程中也存在着一定问题，具体表现在以下几方面。

第一，学生上学路程变远，家长的经济负担和生活负担加重。大量学校被撤销导致学生上学路途变远，有调查显示，不论是教育行政部门负责人，还是学校校长和教师，抑或是家长及学生，都认为学生上学路程太远是农村中小学布局调整后遇到的最大问题。[①]2004 年，某地 3 个县 15 个乡镇的一份调查结果显示，当地 1200 名小学生中，每天往返路程超过 5 公里的约为 40%，超过 10 公里的近 10%。[②]

第二，布局调整对不同地区影响不同。有研究指出，撤点并校对经济比较发达、交通比较便利的平原地区的正面效果比较明显，负面影响相对较小。然而，在自然环境、经济条件较差的边疆地区、西部偏远农村和山区，撤点并校后产生的负面影响较大，如导致辍学率上升，家庭教育成本增加（如交通成本）和安全隐患（如校车事故）增加等问题。[③]2001—2012 年，减少的 27.98 万所中小学中，有 21.5 万所为农村中小学，占学校减少总量的 76.84%；减少的 21.5 万所农村中小学中，小学达 20.6 万所，占农村中小学减少总量的 95.81%，是全部中小学减少总量的 73.62%。[④]

---

① 范先佐，郭清扬. 我国农村中小学布局调整的成效、问题及对策——基于中西部地区 6 省区的调查与分析[J]. 教育研究，2009(1)：31-38.

② 庞丽娟. 当前我国农村中小学布局调整的问题、原因与对策[J]. 教育发展研究，2006(4)：1-6.

③ 庞丽娟. 当前我国农村中小学布局调整的问题、原因与对策[J]. 教育发展研究，2006(4)：1-6.

④ 邬志辉，史宁中. 农村学校布局调整的十年走势与政策议题[J]. 教育研究，2011，32(7)：22-30.

第三，低龄寄宿带来诸多问题，且额外增加了教师工作负担。为解决农村小学生上学的时间成本和经济成本问题，许多地区实施了寄宿制。2008年，东北师范大学农村教育研究所对870名小学寄宿生的调查显示，从小学一年级开始寄宿的达27.1%，从二年级和三年级开始寄宿的分别为13.6%和13.3%，即三年级及之前寄宿的小学生累计百分比高达54%。但部分学校的寄宿设施建设滞后、条件简陋，缺乏厕所、餐厅、供水、医疗等必要的生活设施，儿童的生活、饮食、健康、安全、情感等方面均存在问题。45%的农村小学有一至三年级的低龄学生寄宿，不利于其身心健康发展，也极易引发安全事故。农村寄宿制学校的学生不仅身高、体重明显低于走读学生，而且学习成绩也明显低于走读学生。[①]由于学校没有保育人员的编制，学生在校的保育任务只得由任课教师担任，教师的工作负担进一步加重。

四、农村中小学布局调整的终止

针对学校布局调整中出现的问题，2006年教育部在《关于实事求是地做好农村中小学布局调整工作的通知》中指出："有的地方工作中存在简单化和'一刀切'情况，脱离当地实际撤销了一些交通不便地区的小学和教学点，造成新的上学难；有的地方盲目追求调整的速度，造成一些学校大班额现象严重，教学质量和师生安全难以保证；有的地方寄宿制学校建设滞后，学生食宿条件较差，生活费用超出当地群众的承受能力，增加了农民负担；有的地方对布局调整后的学校处置不善，造成原有教育资源的浪费和流失等。这些问题，造成了一些边远山区、贫困地区农民群众子女上学的不便，违背了布局调整的初衷，需要认真加以解决"，因此要求各地实事求是地做好农村中小学布局调整工作。

2009年和2010年，教育部相继出台多份文件，要求各地规范学校布局调整工作，但在执行政策过程中，一些地区仍然存在在缺乏充分论证和严密

---

① 杨东平. 农村教育需要"底部攻坚"[J]. 教育发展研究，2014，33(24)：3-3.

规划下，盲目“撤点并校”的情况。2012 年 9 月，国务院办公厅下发《关于规范农村义务教育学校布局调整的意见》，提出要规范农村义务教育学校撤并程序，确因生源减少需要撤并学校的，县级人民政府必须严格履行撤并方案的制定、论证、公示、报批等程序。撤并方案要逐级上报省级人民政府审批。在完成农村义务教育学校布局专项规划备案之前，暂停农村义务教育学校撤并。至此，持续十年的学校布局调整在全国范围内终止。

第四节　农村义务教育薄弱学校改造计划

一、计划简介

为贯彻落实《国家中长期教育改革和发展规划纲要（2010—2020年）》的精神，推进义务教育均衡发展，全面提高农村教育质量，财政部、教育部决定于2010年起实施“薄改计划”。

“薄改计划”的总体目标是：按照推进义务教育学校标准化建设的战略要求，为农村义务教育阶段学校按照国家基本标准配齐图书、教育实验仪器设备、音体美器材；按照农村义务教育学生营养改善计划要求，逐步改善农村学校就餐条件；根据教育规划和现有财力可能，改扩建劳务输出大省和特殊困难地区农村学校寄宿设施，改善寄宿条件，逐步使县镇学校达到国家规定的班额标准。“薄改计划”重点支持两类项目：一类是教学装备类项目，实施期限为 2010—2012 年。具体包括：为农村薄弱学校配置图书、教学实验仪器设备、音体美等器材，提高农村义务教育质量；为农村薄弱学校每个班级配置多媒体远程教学设备，提高教育信息化水平。另一类是校舍改造类项目，实施期限为 2010—2015 年。具体包括：配合实施农村义务教育学生营养改善计划，支持国家试点地区农村学校改善就餐条件或配备必要的餐饮设施；支持农村寄宿制学校学生附属生活设施建设，集中力量满足农村学生特别是留守儿童的住宿需求；支持县镇学校扩容改造，集中力量解决县镇大班额等突出问题。[①]

项目实施的具体要求：一是各省（区、市）在确定项目县时要重点向集中连片特殊困难地区倾斜，并向贫困地区、革命老区、边疆地区和民族地区倾斜。二是教学设备类项目县必须是农村义务教育学校图书、教育实验仪器设备、音体美等器材整体没有达到国家基本配备标准的县。三是校舍改造类项目县应是纳入本省（区、市）义务教育均衡发展规划、拟优先解决义务教育学校食堂、宿舍等附属设施短缺的县。

项目实施学校必须是符合当地学校布局结构调整规划、拟长期保留的农村义务教育学校。具体包括：一是具备相应的实验室、图书馆用房和安全条件，但实验室、图书馆、音体美器材和多媒体远程教学设备不完备的农村义务教育学校，且能够保证教学设备的正常使用；二是开展农村义务教育学生营养餐计划国家试点地区供餐能力不足的学校，以及附属设施较差的学校；三是大班额现象严重的县镇学校。[②]

二、计划执行效果

2014 年 2 月 13 日，国务院新闻办公室举行改善农村义务教育办学条件和农业科技创新发布会。教育部副部长刘利民在回答记者提问时表示，从 2010 年起中央财政加大义务教育的投入，启动了“薄改计划”，使得现在农村义务教育发生了不小的变化，成效很大。

第一，农村学校学生的学习和生活条件得到了很大的改善。第二，学校的食堂有了很大的变化。第三，城镇学校大班额的问题得到一定的缓解。第四，学校图书的配备，音体美的器材、实验设备得到进一步的丰富，从而促

① 教育部. 农村义务教育薄弱学校改造计划背景材料[EB/OL]. http://www.moe.gov.cn/jyb_xwfb/xw_fbh/moe_2069/s7135/s7182/s7184/201302/t20130226_147885.html，2013-02-26/2022-07-23.

② 永安镇人民政府. 财政部教育部关于实施农村义务教育薄弱学校改造计划的通知[EB/OL]. https://www.szyq.gov.cn/grassroots/6623523/152390681.html，2011-12-27/2022-08-31.

进了办学水平和教育质量的提高。

刘利民强调，这四个方面彰显了 2010 年工程实施的效果。这一次把原有的项目都打包和整合，按缺什么补什么原则，加大工作力度，相信更有成效。同时，强调因地制宜，不搞“一刀切”。①

第五节 义务教育全面改薄工程

一、工程简介

为深入贯彻十八大和十八届三中全会精神，全面落实《国家中长期教育改革和发展规划纲要（2010—2020 年）》，进一步统筹城乡义务教育资源均衡配置，2013 年 12 月发布的《教育部 国家发展改革委 财政部关于全面改善贫困地区义务教育薄弱学校基本办学条件的意见》启动了义务教育全面改薄工程，旨在全面改善贫困地区义务教育薄弱学校基本办学条件。计划 2014—2018 年，通过对贫困地区的薄弱学校实施校园校舍建设和教学及生活设施设备购置，使农村（含县镇）义务教育薄弱学校教学和生活设施满足基本需要，消除“大班额”和“大通铺”现象，从而达到加快缩小区域、城乡教育差距，促进基本公共教育服务均等化的总体目标。

“全面改薄”项目为期五年（2014—2018 年），主要包括校舍建设（含教学及辅助用房、学生宿舍、食堂、厕所、锅炉房、浴室、运动场地、附属设施等建设）和设备购置（含课桌椅、学生用床、教学实验仪器设备、音体美器材、图书、多媒体教学设备、食堂设备、饮水、采暖、安保等设施设备）②。

① 薄弱学校改造计划取得四方面成效[EB/OL]. http://www.scio.gov.cn/xwfbh/xwbfbh/wqfbh/2014/20140213/zy30387/Document/1362967/1362967.htm，2014-02-13/2018-05-26.

② 教育部全面改善贫困地区义务教育薄弱学校基本办学条件[Z]. 2013-12-31.

二、实施效果

2016年10月，国务院教育督导委员会办公室印发通知，对各地2014—2016年“全面改薄”执行情况进行专项督导，组织由国家督学、全国人大代表、政协委员和有关专家组成的14个督导组，对29个省份（含兵团）全面改薄工作进展成效、质量管理、保障体系和公开公示情况进行实地督导，随机抽查了61个县区的266所义务教育学校，回收253万份师生调查问卷。结果发现，“全面改薄”的成效主要体现在如下几个方面。[①]

一是基本教学条件得到显著改善。全国共新建、改扩建校舍面积1.23亿平方米、室外运动场地1.12亿平方米，购置学生课桌椅2284万套、图书3.38亿册，实现了五年规划时间过半，任务完成过半，义务教育学校布局进一步优化，农村学校教学条件整体提升，学生自带桌椅、在D级危房上课等现象在绝大部分地区消除。

二是学校生活设施全面改善。全国共购置学生用床、食堂、饮水、洗浴等生活设施设备1157万台/件/套，大部分地区寄宿制学校基本实现一人一床位，极大地改善了农村学生住宿、用餐、饮水、洗浴条件。2015年，中央财政安排补助资金7.5亿元，专项用于支持四省藏区义务教育寄宿制学校及附属设施建设，集中兴建一批标准化寄宿制学校，有效地解决了这类地区学生居住分散、上下学交通不便等突出问题。

三是城区大班额得到有效控制。2015年，全国义务教育阶段66人以上的超大班额有17.3万个，比2013年减少3.57万个，减幅为17.11%。山东规划投入1220亿元，力争用两年时间解决城镇大班额问题，截至2016年年底，已累计完成投资714亿元，改扩建校舍1830所，新建校舍2090万平方米，有效地缓解了城镇学校“挤”的问题。

四是教学点办学条件得到有效改善。全国共投入146.6亿元，建设教学

① 全面改善贫困地区义务教育薄弱学校基本办学条件工作专项督导报告[EB/OL]. http://www.moe.gov.cn/jyb_xwfb/gzdt_gzdt/s5987/201702/t20170215_296262.html，2017-02-15/2018-05-27.

点校园校舍 756 万平方米，购置了价值 25.5 亿元的设施设备，教学点办学条件得到进一步改善。甘肃张掖市临泽县充分利用太阳光能源集热系统，让全县 23 个教学点彻底告别“热了怕烫伤学生、冷了怕冻病学生、晚上怕煤烟中毒”的取暖“危时代”，走出了一条小规模学校和教学点冬季“绿色”取暖的独特模式。

五是教育信息化水平大幅提高。全国教育信息化基础设施逐步完善，农村学校数字教育资源覆盖面不断扩大，优质资源共建共享机制正在逐步形成，中小学实现宽带接入比例达到 87%，配备多媒体教学设备的中小学比例达到 82%，每百名学生拥有计算机 11.56 台，比 2013 年增加 2.31 台，增幅为 24.98%。

六是农村教师队伍素质明显提升。有 28 个省份的小学教师和 27 个省份的初中教师的配备达到了国家编制标准要求，22 个省份 699 个集中连片特困县全部落实乡村教师生活补助政策，惠及 105 万名乡村教师，乡村教师职业吸引力进一步增强。2016 年，国家投入 21.5 亿元实施中西部项目和幼师国培项目，培训教师约 160 万人次，切实提升了农村教师的专业化水平。[①]

第六节 义务教育省级统筹

一、简介

《中华人民共和国义务教育法》第六条规定：“国务院和县级以上地方人民政府应当合理配置教育资源，促进义务教育均衡发展，改善薄弱学校的办学条件，并采取措施，保障农村地区、民族地区实施义务教育，保障家庭经济困难的和残疾的适龄儿童、少年接受义务教育。”推进义务教育均衡发

① 全面改善贫困地区义务教育薄弱学校基本办学条件工作专项督导报告[EB/OL]. http://www.moe.gov.cn/jyb_xwfb/gzdt_gzdt/s5987/201702/t20170215_296262.html，2017-02-15/2018-05-27].

展是中央、省、市和县各级人民政府的法定职责，各级政府应当建立健全义务教育均衡发展保障机制，合理配置各类教育资源，不断提高经费保障水平，缩小区域之间、城乡之间、学校之间义务教育发展的差距，率先在县域内实现义务教育均衡发展，并逐步在更大范围内推进。其中，省级政府在义务教育均衡发展中发挥重要的统筹作用。

二、具体任务

一是依据全国总体要求统筹实施辖区内义务教育均衡发展工作，完善义务教育均衡发展法律法规和政策措施，制定义务教育均衡发展整体规划、实施步骤和保障措施，依据国家标准制定义务教育学校办学基本标准和教育资源均衡配置标准，组织实施学校标准化建设，建立推进县域义务教育均衡发展激励机制和问责制度。

二是建立健全义务教育均衡发展经费保障机制，统筹本级财政资金和中央转移支付资金，提高义务教育均衡发展经费保障水平，扩大保障范围。财政拨款、学校建设、仪器配备等教育资源配置向农村地区、革命老区、民族地区、边疆地区、贫困地区倾斜，加大对辖区内困难县财政转移支付力度。核定本地区中小学公用经费的标准和定额，确保落实到位和逐步提高。

三是制定本省义务教育教师队伍建设整体规划，教师资源配置向农村学校和薄弱学校倾斜，吸引、鼓励优秀教师到农村地区任教，为革命老区、民族地区、边疆地区、贫困地区培养和补充紧缺教师。实行县域内教师、校长交流制度，对农村教师工资实施倾斜政策，以提高农村教师待遇水平，缩小城乡师资队伍差距。

四是建立县域义务教育均衡发展督导评估制度，依据国家制定的县域义务教育均衡发展督导评估办法，制定义务教育均衡发展评估标准和具体实施办法，组织实施评估验收工作，对所辖县级单位基本实现义务教育均衡发展情况进行督导评估，并将其作为督导评估县级政府教育工作的重要内容。

第七节 城乡义务教育一体化

一、简介

城乡义务教育一体化是城乡一体化在义务教育中的体现，是在城乡教育均衡基础上建立的新的体制机制和发展模式，是我国新时代提高教育质量、促进教育公平的必然选择。2016 年国务院印发《关于统筹推进县域内城乡义务教育一体化改革发展的若干意见》，第一次从国家政策层面全面系统地提出了县域内城乡义务教育一体化发展的总体目标和发展举措。2017 年，十九大报告提出要优先发展教育事业，推动城乡义务教育一体化发展，中国城乡义务教育一体化进程进入一个新的阶段。

城乡义务教育一体化的目标是：加快推进县域内城乡义务教育学校建设标准统一、教师编制标准统一、生均公用经费基准定额统一、基本装备配置标准统一和“两免一补”政策城乡全覆盖，城乡二元结构壁垒基本消除，义务教育与城镇化发展基本协调，城乡学校布局更加合理，大班额基本消除，推进学校标准化建设，城乡师资配置基本均衡，乡村教师待遇稳步提高，岗位吸引力大幅增强，乡村教育质量明显提升，全面完成教育脱贫任务。义务教育普及水平进一步巩固提高，九年义务教育巩固率达到 95%。县域义务教育均衡发展和城乡基本公共教育服务均等化基本实现。[1]

二、主要措施

城乡义务教育一体化发展主要包括十个方面的内容。

第一，同步建设城镇学校。各地要编制城镇义务教育学校布局规划，预留足够的义务教育学校用地，确保有足够的学位供给，满足学生就近入学的

① 国务院关于统筹推进县域内城乡义务教育一体化改革发展的若干意见[EB/OL]. http://www.moe.gov.cn/jyb_xxgk/moe_1777/moe_1778/201607/t20160711_271476.html，2016-07-11/2018-05-27.

需求。

第二，办好乡村教育。城乡义务教育一体化发展从义务教育学校布局、办好小规模学校、补齐乡村教育短板、提高教师素养、加强学生思想品德教育和爱国主义教育、注重优秀传统艺术和体育项目的传承、注重实践教学等方面提出了要求。

第三，科学推进学校标准化建设。各地要完善寄宿制学校、乡村小规模学校办学标准，科学推进城乡义务教育学校标准化建设，改善贫困地区义务教育薄弱学校基本办学条件，促进义务教育优质均衡发展。

第四，实施消除大班额计划。省级人民政府要结合本地实际制订消除大班额专项规划，并通过城乡义务教育一体化、实施学区化集团化办学或学校联盟、均衡配置师资等方式，加大对薄弱学校和乡村学校的扶持力度，限制班额超标学校招生人数，合理分流学生。

第五，统筹城乡师资配置。建立城乡义务教育学校教职工编制统筹配置机制和跨区域调整机制，实行教职工编制城乡、区域统筹和动态管理，全面推进教师“县管校聘”改革，着力解决乡村教师结构性缺员和城镇师资不足问题。

第六，改革乡村教师待遇保障机制。各地要通过实行乡村教师收入分配倾斜政策、建立乡村教师荣誉制度、完善乡村教师职业发展保障机制、落实中小学教师职称评聘结合政策、加快边远艰苦地区乡村教师周转宿舍建设等方式，保障乡村教师待遇。

第七，改革教育治理体系。各地在实行“以县为主”管理体制的基础上，进一步加强省级政府统筹，完善乡村小规模学校办学机制和管理办法，落实学校办学自主地位，创新校外教育方式等，以深化义务教育治理结构改革，完善教育治理体系，增强教育治理能力。

第八，改革控辍保学机制。县级人民政府要完善控辍保学部门协调机制，落实县级教育行政部门、乡镇政府、村（居）委会、学校和适龄儿童父母或其他监护人控辍保学责任，建立控辍保学目标责任制和联控联保机制等手段，改革控辍保学机制，保障农村残疾儿童平等接受义务教育权利。

第九，改革随迁子女就学机制。各地要进一步强化流入地政府责任，建立以居住证为主要依据的随迁子女入学政策，依法保障随迁子女平等接受义务教育的权利。

第十，加强留守儿童关爱保护。各地要落实县、乡人民政府属地责任，建立家庭、政府、学校尽职尽责，社会力量积极参与的农村留守儿童关爱保护工作体系，加强对留守儿童的关爱保护。①

① 国务院关于统筹推进县域内城乡义务教育一体化改革发展的若干意见[EB/OL]. http://www.moe.gov.cn/jyb_xxgk/moe_1777/moe_1778/201607/t20160711_271476.html，2016-07-11/2018-05-27.

第四章　国外信息技术促进教育公平概况

20 世纪 50 年代以来，随着世界范围内基础教育改革的不断深入，世界各国高度重视教育公平。[①]20 世纪 80 年代后，随着信息技术在教育中的应用越来越广泛，利用信息技术促进教育公平的做法越来越受到关注。世界主要国家，尤其是信息技术普及程度高的发达国家在利用信息技术促进教育公平方面进行了实践探索。了解国外的做法，总结国外的经验，对于更好地推进我国义务教育均衡发展具有借鉴作用。

第一节　主要发达国家利用信息技术促进教育公平的举措

一、美国利用信息技术促进教育公平的举措

美国的信息技术比较发达，也一向比较重视通过信息化手段缩小不同家庭背景、区域和学校之间的教育差距。21 世纪以来，美国在此方面的主要

① 张爱华，南仙利，王海潮. 当代国外教育公平实践推进策略探析[J]. 河北教育(综合版)，2011(6)：18-19.

做法主要表现在以下三方面。

第一，出台相关法案和项目，如《不让一个孩子掉队》（No Child Left Behind，NCLB）法案。该法案试图系统化地解决美国广大儿童（特别是学业不良者）的读、写、算等基本能力的培养问题，缩小不同家庭背景学生之间的学业成就差异，提高公共教育资源的利用效率，进而提升美国的基础教育质量。[①]该法案要求确保所有儿童都有公正、平等的机会去获得高质量的教育，并且能够达到州制定的学业评价标准。为此，该法案从确保高质量的学业评价、责任机制、教师储备与培训、课程设置、教学资源、家长择校、毒品防范、政策修订、适应低成就儿童教育需求和确立教师专业发展的高标准等许多方面制定了有关措施。

为解决农村社区教育经费投入严重不足、贫困学生和少数族裔学生偏多、师资短缺、农村教育不能适应经济发展需求等问题，美国联邦政府开展了农村教育成就项目（Rural Education Achievement Program，REAP），具体包括小规模农村学校成就项目（Small Rural School Achievement Program，SRSA）和农村与低收入学校项目（Rural and Low-Income School Program，RLIS），力图通过优先政策对农村地区的教育均衡发展提供强有力的法律保障和资金支持。[②]

第二，制定教育技术规划。1996 年，美国教育部发布了第一个国家教育技术规划——《让美国的孩子为 21 世纪做好准备：迎接技术素养的挑战》（Getting America's Students Ready for the 21st Century：Meeting the Technology Literacy Challenge），对美国教育信息化基础设施建设和教师与学生的信息技术素养培养等方面的教育信息化建设进行了系统规划。随后，美国教育部分别于 2000 年、2004 年、2010 年、2015 年相继制定了多部对教育信息化建设进行宏观规划的政策文件，对全国教育信息化建设，以及利用信息技术促进教育公平等提出了具体要求。

---

① 陈海东. 信息技术促进教育优质均衡发展：内涵、案例与对策[J]. 中国电化教育，2010(12)：35-38.

② 祝智庭，贺斌. 解析美国《国家教育技术规划 2010》[J]. 中国电化教育，2011(6)：16-21，38.

第三，加强教育信息化基础设施建设。一是提高无线网络连接覆盖率。2013 年 6 月，美国总统奥巴马宣布实施“教育连接”行动计划，即全国 99%的学生能够使用最低网速为每秒 100 M 的网络服务，并在 2018 年前实现每秒 1 G 的网速。①2014 年以来，亚拉巴马州、亚利桑那州等州通过实施相关法案，推进了学校无线网络建设。大量教育科技企业和公益性教育机构也对全美各地大学、中小学以无线宽带连接服务为核心的教育技术基础设施建设做出了富有成效的贡献。二是扩大数字学习设备的应用。美国教育部教育技术办公室 2015 年发布了第 5 个美国教育技术规划《为未来做准备的学习：重塑技术在教育中的角色》（Future Ready Schools：Building Technology Infrastructure for Learning）行动计划，旨在帮助学区和学校更好地利用信息技术提高教育质量。②三是加强数字化教育资源的推广。近年来，非营利性组织知识共享在促进开放、免费的教育资源建设方面取得了卓越成就。大量数字教育资源被应用到学校教育中，对于提高教育教学效果起到了重要作用。

美国在全国范围内和各州采取的这些措施，有效地推进了教育信息化的普及，对缩小城乡学校之间、同一地区不同家庭背景学生之间的差距发挥了积极作用。

二、英国利用信息技术促进教育公平的举措

英国是目前世界上基础教育较为发达的国家之一，但是也存在基础教育不均衡的问题，主要体现在区域之间、学校之间、社会群体之间在教育机会和教育质量上的不均衡。1997 年以来，英国对教育均衡发展的认识从过去

① White House. President Obama Unveils ConnectED Initiative to Bring America’s Students into Digital Age[EB/OL]. http://www.whitehouse.gov/thepress-office/2013/06/06/president-obama-unveils-connectedinitiative-bring-america-s-students-di, 2013-06-06/2017-05-01.

② Office of Education Technology. Future Ready Schools: Building Technology Infrastructure for Learning [EB/OL]. http://tech.ed.gov/futureready/infrastructure/, 2014-11-15/2017-02-08.

单纯的社会公平的意义拓展到作为保持英国在全球化进程中的优势和重建和谐社区的重要工具，形成了一整套促进教育均衡的发展政策。这些政策提倡如下思想理念，包括全纳教育思想，多元文化观，所有学生、每所学校都成功，起点公平。信息化也是英国政府采取的促进教育均衡发展的重要手段，英国教育信息化的特点主要有以下几点。

第一，政府、企业和学校共同努力，相互配合。英国教育信息化的发展是在政府、学校和企业的共同努力与配合下开展的。英国以政府的力量促进信息通信技术与课程教学的整合，形成了学校实践—企业研发—转化为产品—进入由政府宏观调控的市场竞争的良性循环。

第二，重视学生的创新能力和自我需求。英国非常强调信息通信技术与学科课程的整合，并强调以下原则：①配合教学实践。信息通信技术和学科课程的整合，必须配合整个教学活动，不能为了运用而运用，而要把信息通信技术作为整个课程实施过程中的有机组成部分，从课程实施的最优化出发，有效地将信息通信技术运用到教学中。②目的是达成一定的教与学目标。在决定是否应用以及什么时候应用信息通信技术时，必须保证目的是能更好地达成一定的教学目标和学习目标。③完成其他教学手段不能完成的任务。在学科教学中应用信息通信技术，尤其是当其他教学手段或教学媒体不能很好地完成教学任务时。[①]

第三，将教师培训作为政府行为，高度重视教师信息技术能力的培养。英国将教师培训工作作为政府行为，启动了 IT 培训工程，并在组织管理和经费等方面予以保障。

三、韩国利用信息技术促进教育公平的举措

摆脱日本的殖民统治后，韩国经历了大规模的政治、社会和经济动荡。20 世纪 60 年代开始，韩国政府开始大力推进出口导向型经济政策和不均衡

① 许林. 英国基础教育信息化中的创新能力培养[J]. 中国电化教育，2010(5)：38-40.

发展战略，大大推进了韩国经济有计划的发展，由此导致工农业的发展严重失衡，农村问题十分突出。为此，韩国政府采取了“教育先行”的人力资源开发战略，强力推进以扫盲为主的农村义务教育发展政策。为了在农村普及义务教育，韩国政府以宪法为法律依据，制定出台了一系列政策措施，为农村学生平等地接受教育提供了政策保障。60 年代以后，随着产业化的飞速发展、城市化进程的快速推进，城市人口集聚现象日益突出，农村社会逐渐被边缘化，城乡差距逐渐拉大，尤其是岛屿、偏僻地区处于非常不利的境地，教育也是如此。由此，韩国政府于 1976 年颁布《岛屿、偏僻地区教育振兴法》，目的在于振兴岛屿、偏僻地区的义务教育。

韩国岛屿、偏僻地区义务教育发展存在的问题主要有两点。第一，实施小规模学校合并政策。根据韩国国土海洋部 2013 年发布的资料，韩国的城市化率为 91.04%。[①]在世界贸易组织（World Trade Organization，WTO）体制下，韩国国内农产品市场的开放对农村的影响甚大，使其陷入恶劣境况。为了改善农村的生活环境、居住条件，韩国政府提出并推行了各种有利政策，但是没有达到预期的改善效果，韩国农村的教育、医疗和文化设施等都不尽如人意。在这种状况下，每年大约有 50 万名农村居民移居到城市，导致城市学校学生密度过大，农村学龄人口骤降，越来越多的农村学校因学生人数、班级数的锐减变为小规模学校，甚至停办。[②]小规模学校的激增使韩国农村的教育质量日益降低，学生及家长因不满意学校教育而纷纷离开农村前往城市，造成农村定居人口数量越来越少，并由此形成恶性循环。1982 年，韩国政府决定实施小规模学校合并政策，虽取得了一定成效，如促进了学生学习能力的增长、社交能力的提高以及个性的完善；减轻了教师的负担，改善了教育条件和教育环境，促进了闲置校舍的有效使用；降低了青少年犯罪率，促进了当地社区整体文化的发展。[③]但小规模学校与其他学校的

① 韩国城镇化率 53 年以来首次降低. http://world.people.com.cn/n/2013/0902/c157278-22775590.html，2013-09-02/2022-09-01.

② 崔东植，邬志辉. 韩国农村小规模学校合并政策评析[J]. 教育发展研究，2010(10)：58-63.

③ 崔东植，邬志辉. 韩国农村小规模学校合并政策评析[J]. 教育发展研究，2010(10)：58-63.

差距依然存在。

第二，采取措施解决同区域校际发展不均衡问题。在韩国的义务教育体系中，非重点学校和重点学校不仅在经费待遇上有较大差别，而且在教师待遇、教学设施、师资条件等方面也有较大差别。为此，韩国政府采取了一系列措施促进教育均衡发展，推进教育信息化建设便是措施之一。2011 年，韩国在教育领域推出促进信息技术发展的新举措，并突出了创造型人才的培养。截止到 2015 年，韩国所有中小学普及了计算机及多媒体设备等信息化基础设施，并构建和运行了教育信息综合服务系统，包括教育网站、网络家庭学习系统、教育新政信息系统等。韩国通过促进信息技术与其他学科课程的整合，以及不断地完善和升级教育信息综合服务系统来促进教育信息化。①

其一，建设教育信息化基础设施。由于不断地使用，设备需要定期升级或维修。为此，韩国政府根据设备的寿命以及信息技术的发展速度，制定了长期的基础设施建设方案及以绿色信息技术为中心的信息化基础设施建设方案。具体如下：①构建教育信息服务系统：升级教育信息化相关设备及网络，通过绿色信息技术改革教育信息综合服务系统。②升级信息防护系统，通过安全运营该系统来切断事故发生的根源。③建立信息化相关的法律与制度：韩国政府为了促进信息化事业，设立了相关的专业机构，调整了市道教育厅以及信息研究院的功能，以此来减轻学校的业务负担和支援学校信息化工作；制定了信息化项目成果管理机制和为促进终身学习的法律。

其二，推动由信息技术支持的教育体制改革。构建符合终身学习的信息化支持体制，如通过网络大学为国民提供终身学习服务，加强地方社会与大学校园之间的联系，加强幼儿园教育体制。研究将 ICT 应用于教育方案，并积极开展实验探索引领未来教育。通过持续扩大国际合作项目，提高韩国信息化在国际的地位。

其三，加大高科技对教育信息化的支持。韩国政府通过不断升级国家科学技术知识信息服务系统和学术研究信息系统，来支持各领域研究者的研究

① 尉小荣，吴砥，余丽芹，等. 韩国基础教育信息化发展经验及启示[J]. 中国电化教育，2016(9)：38-43.

活动，以此来构建畅通的知识信息资源共享机制。另外，韩国政府不断扩大信息服务的内容和对象，旨在提供面向全体国民的便民服务。

其四，建立不同部门之间的共享机制。通过构建基础教育与科研机构的合作环境，如运营教育与科研机构合作的信息门户平台、开发多媒体教育内容、运营网络实验室、构建网络会议系统以及模拟训练等，激发学生对科学的关注及兴趣。增加接触学术信息的机会，通过系统管理国家研究成果，构建能够共享其研究成果的研发合作平台，为研发知识的应用扩散、增强学科整合与部门之间的联系，构建和运营面向全社会的服务网站。

教育信息化基础设施、应用及信息共享的普及，对位于海岛、偏远地区的小规模学校及城镇中的非重点学校的发展起到了积极的促进作用，对促进义务教育均衡发展具有正面影响。

四、日本利用信息技术促进教育公平的举措

第二次世界大战后，日本以民主化为原则，注重教育的机会均等，对学校制度进行了全面改革，推行九年义务教育，极大地推动了义务教育均衡发展[①]，但仍然存在不均衡的问题。

第一，偏僻落后地区与经济发达地区的差异。自然条件恶劣、经济文化落后的偏远地区办学面临困难，受生育率下降的影响，学生数大量减少，加之城市优秀教师不愿到偏远地区任教，造成大部分偏远地区学校的教学质量和升学率均较低。

第二，社会阶层间的教育差异。公立中小学中来自社会中下阶层的学生占比较大，因支付学习用品费、修学旅行费等而需要接受援助的学生在公立中小学中亦占比较大。然而，学费昂贵的私立学校的学生大多来自上层社会家庭。教育的不平等进一步固化了社会阶层，上层社会家庭子女接受良好的教育，获得高收入的工作，从而进一步巩固其上层社会的地位；中下层社会

---

① 李文英，史景轩. 日本义务教育均衡发展的实现途径[J]. 比较教育研究，2010(9)：38-42.

家庭的子女进入质量较低的学校，获得相对低收入的工作，从而难以实现阶层上升。

20 世纪 50 年代起，日本政府采取了一系列措施，包括教育立法、实施学校标准化建设、建立教师流动制度等，促进偏僻地区的教育发展，均衡校际差距，进而实现无差别的义务教育。教育信息化建设在提高日本教育现代化建设水平的同时，也在义务教育均衡发展方面发挥了积极作用。

日本教育信息化的起步阶段为 20 世纪 80 年代，加速阶段为 20 世纪 90 年代，21 世纪进入腾飞阶段。[①]概括而言，日本教育信息化建设的主要措施有以下几项。

第一，制定教育信息化相关政策、法规和规划。1971 年，日本中央教育审议会发布《关于今后学校教育综合扩充、整顿的基本对策》，提出将信息化教育确立为基本国策，要求“运用现代化的科技手段支撑教育的发展”。2000 年，日本政府将“IT 立国”的国家战略写入《高度信息通信网络社会形成基本法》。此后 20 余年，相继出台多份国家信息化建设规划，内容均涉及教育信息化基础设施建设、信息技术教育应用、中小学生信息技术应用能力等。[②]

第二，政企校合作推进教育信息化建设。日本政府坚持通过信息化项目的方式开展政企校合作，推进教育信息化建设。例如，日本“未来学校”项目是由总务省、文部科学省牵头，日本电报电话公司和富士通公司等多家企业、多所中小学和特殊教育学校参加的多方协同教育信息化项目。项目于 2010—2012 年共投入约 24 亿元人民币经费，建设内容包括以教育云为核心的信息化环境、应用软件、数字化教材、教师培训、信息技术教育应用实践，以及数字化终端设备的教学模式及应用效果研究等。[③]

第三，加强中小学教师和学生的信息应用能力培养。日本政府注重培养

---

① 魏先龙，王运武. 日本教育信息化发展战略概览及其启示[J]. 中国电化教育，2013(9)：28-34，38.

② 荣喜朝. 日本基础教育信息化推进策略及启示[J]. 教学与管理，2017(22)：80-82.

③ 刘菊霞. 中日两国基础教育信息化比较研究——第四届中日教育技术学研究与发展论坛侧记[J]. 中国电化教育，2013(2)：29-33.

中小学教师的信息应用能力，建设信息化师资队伍。首先，注重制定师生信息技术能力规范。由文部科学省负责的《学习指导要领》每 10 年修订一次，根据信息技术的发展更新对师生信息技术能力的要求。其次，注重加强教师研修。针对地方教育委员会领导人、学校管理人员、信息技术教师采取不同的方式推进研修，提升其信息技术能力。尤其注重提高教师的信息技术应用能力和指导能力，并引导教师利用信息技术实施教学改革，推动教育信息化的发展。[①]

五、法国利用信息技术促进教育公平的举措

19 世纪末，法国初步建立了现代学制。20 世纪初，法国政府推行学制改革，试图消除不同阶层子女受教育机会的不均等现象，但由于多方面的原因，义务教育均衡问题并未得到彻底解决。1925 年，法国政府规定，各初等教育机构从教人员需要具备相同的资格，并采用相同的考核标准。次年，法国政府又规定公立小学和国立中学或市立中学的小学班在教学中使用统一的教学大纲和内容。1945 年，法国政府取消了国立中学或市立中学的小学班，初等教育完全由公立小学实施，从而在法律层面实现了小学阶段学校的统一化。[②]中等教育自 20 世纪 30 年代开始逐渐实现免费，这一规定有利于社会经济条件较差的学生就学。1975 年的“哈比改革”则建立起了初级中学，至此，法国的义务教育阶段实现了单轨制，且义务教育经费全额由国家承担，对义务教育的均衡发展提供了条件。[③]

为了实现地区间义务教育均衡发展，法国政府采取了一系列措施。

第一，对全国内的学校布局进行了调整。具体包括对学校的数量、位置

① 荣喜朝. 日本基础教育信息化推进策略及启示[J]. 教学与管理，2017(22)：80-82.

② 孙启林，周世厚. 大均衡观下的“略”与“策”——法国义务教育均衡发展政策评析[J]. 现代教育管理，2009(1)：95-98.

③ 孙启林，周世厚. 大均衡观下的“略”与“策”——法国义务教育均衡发展政策评析[J]. 现代教育管理，2009(1)：95-98.

和规模进行系统规划，确定学校的招生区域，方便学生就近入学并禁止择校。

第二，针对地区之间和学校之间存在的教学质量差异，法国政府建立了“优先教学区”，目的是对薄弱学校进行扶持，如增拨经费、增派教师等，并对处于社会不利地位的学生加大关注和支持，但这些扶持手段达到国家规定标准后将终止。

第三，针对学生个体之间的差异，法国政府对义务教育阶段的课后辅导做了硬性规定，使辅导学业落后学生成为学校教师的职责之一，并拨款为辅导教师提供相应经费。辅导制度的建立和实施，为学生享有公平的入学机会和相同质量的教育服务提供了保障，同时也进一步促进了法国义务教育的均衡发展。

第四，制订计划，进行教学改革。2015 年，法国教育部部长在部长例会上正式提出法国初中教学改革计划。此次改革的目的是通过修订教学大纲、增加教师自主教学时间等途径，实现强化基础知识教学、培养学生的社会适应力、加强共和国价值观教育等目标，最终打破社会阶层阻碍，提高学生的学业成功率；通过改革增强教师队伍建设，激发教师的工作热情和创造力。改革的主要措施包括：强调理论结合实际，加强学生基础知识学习；因材施教，提高学生的学业成功率；加强对初中生适应现代社会生活所需技能的培养；将初中校园变成学生成长及公民意识培养的重要场所，并优先培养学生的团队意识。①

通过教育信息化建设推进教育均衡发展也是法国采取的重要措施。2013 年起，法国相关教育部门逐步开展了“数字化校园”战略相关部署与研究工作。例如，实施“互动课堂计划”，推动针对社区教育、服务于学生和家长的数字化系统建设；实施“高速网络计划”，为每所中学接入高质量网络；实施“大型数字化计划”，旨在实现教育公平；确立开展全法数字化技术研讨计划；500 所中小学被纳入“数字化校园计划”以及教育数字化系统。②

① 黄培. 法国公布初中教育改革计划[J]. 世界教育信息，2015(9)：76-77.

② 井家鹏. 法国确立“数字化校园”教育战略规划[J]. 世界教育信息，2015，28(17)：77.

六、新西兰利用信息技术促进教育公平的举措

新西兰政府非常注重基础教育的均衡发展，注重为学生提供公平的教育机会。在教育经费投入方面，注重向贫困地区学校倾斜，对特殊教育以及土著民族毛利人给予了政策上的关照，因此新西兰的教育均衡程度很高。[①]在教育信息化方面，新西兰采取了一系列措施来完善全国的信息技术基础设施，推进信息技术在教育教学中的应用，促进义务教育均衡发展。

20 世纪 90 年代，新西兰一些学校就将信息技术引入学校。为了满足所有学习者的需求，新西兰教育部于 1998 年开始推进信息技术在中小学的应用，并公布了第一个基础教育信息化行动计划——《交互教育：学校信息通信技术政策》，对学校教育信息化基础设施建设、信息技术教学应用、教师信息技术素养提出了要求，并将实施重点放在了基础设施建设方面。该计划实施 3 年后，新西兰 81%的学校配置了计算机，98%的学校连接到了互联网。[②]

四个行动计划的实施有力地推进了新西兰教育信息化建设水平，且在保障弱势群体、促进教育公平方面发挥了积极作用。在第一个行动计划之后，新西兰分别于 2001 年、2002 年和 2006 年公布了第二、第三和第四个基础教育信息化行动计划，对教育信息化建设提出了进一步的要求。第二个计划《信息通信技术专业发展计划》将实施重点放在提升教师信息素养上，在实施五年后，参加该计划的新西兰教师的信息素养得到大幅提高，大部分教师能够利用计算机进行教学设计、开展课堂教学，超过 90%的教师能够利用计算机处理文档、图像和使用互联网。第三个计划《数字视角：通过信息通信技术学习》将实施重点放在加强薄弱学校教育信息化建设、巩固前期教育信息化建设成果、资助教师使用笔记本电脑等方面。经过努力，新西兰薄弱

① 王薇. 新西兰基础教育的制度、特色及启示[J]. 外国中小学教育，2013(10)：17-23.

② 姜峰. 新西兰中小学教育信息化的变革与发展——从 1998 年《交互教育政策》到 2006 年《电子学习战略》[J]. 西南大学学报(社会科学版)，2011，37(3)：69-72.

学校的教育信息化建设水平有了大幅提升，义务教育整体呈现出高度平衡的态势。[①]

第二节　国外信息技术促进教育公平的经验

通过上一节的分析可以发现，国外在利用信息技术促进义务教育公平时，主要通过为弱势群体提供平等的受教育机会和优质教育资源、融入主流社会的渠道、帮助特殊群体改善学习效果等途径来实现，取得了一定成果，但同时也揭示了信息技术在促进教育公平方面的局限性。

一、信息技术促进教育公平的途径

1. 为弱势群体提供受教育和优质教育资源

弱势群体是一个相对的概念，在具有可比性的前提下，一部分人比另一部分人处于不利地位，则处于不利地位的那部分人即弱势群体，主要由经济贫困、社会声望较低以及几乎没有能力支配社会资源的人构成。[②]教育语境下的弱势群体是指，在获取教育资源方面相对处于不利地位的群体。

受教育权作为基本权利，是人人应当享有的权利。国外研究证实了信息技术能够为弱势群体提供平等的受教育机会及接触优质教育资源的机会，从而保障其受教育权。这方面的研究主要分为三类：对利用信息技术跨越时空传送资源的效果进行检验；对数字化资源帮助弱势群体学习的效果进行检验；对低社会经济地位家庭拥有计算机/互联网从而提高学习效果的情况进行检验。

---

① 姜峰. 新西兰中小学教育信息化的变革与发展——从 1998 年《交互教育政策》到 2006 年《电子学习战略》[J]. 西南大学学报(社会科学版)，2011，37(3)：69-72.

② 李斌. 市场推进下的中国城市弱势群体及其利益受损分析[J]. 求实，2002(5)：50-53.

对利用信息技术跨越时空传送资源的效果进行检验方面，研究者围绕广播和 MOOC（massive open online courses，大规模在线开放课程，即慕课）等展开。例如，研究者研究了利用社区广播向南非农村社区提供信息和通信技术的情况，发现这种方式因经济实惠，能有效地让更多的人接触教育资源而广受社区民众的欢迎和支持。①另外的研究发现，没有接受过正规教育的学生通过 MOOC 学习后，在知识习得上与接受正规教育的学生并无统计学意义上的差别，由此认为，MOOC 对于弱势群体接受教育，从而促进教育公平具有积极意义。②

对数字化资源帮助弱势群体学习的效果进行检验方面，研究者主要围绕开放教育资源（open educational resources，OER）、廉价笔记本电脑帮助贫困地区儿童学习展开。例如，印度有几项使用 OER 项目的研究，这些项目希望借助 OER 为贫困地区儿童提供优质的教育资源。结果表明，OER 在降低成本、提高内容可用性和获取材料方面具有优势，能让更多的人有接受优质教育的机会。③也有研究者在不丹开展了利用廉价笔记本电脑中为贫困学生讲故事的实验，结果表明，这种方式对激发贫困地区学生的学习兴趣、扩宽其视野和知识面具有积极效果。④

对低社会经济地位家庭拥有计算机/互联网从而提高学习的效果进行检验方面，研究者主要围绕低社会经济地位学生家庭拥有计算机/互联网能否缩小其与其他学生的差距展开。例如，美国一个旨在让低收入家庭的学生能够在家中连接到互联网从而帮助其提高学业成绩的项目，记录了 130 名低收

---

① Megwa E R. Bridging the digital divide: Community radio's potential for extending information and communication technology benefits to poor rural communities in South Africa[J]. Howard Journal of Communications, 2007, 18(4): 335-352.

② Dillahunt T R, Wang B Z, Teasley S. Democratizing higher education: Exploring MOOC use among those who cannot afford a formal education[J]. The International Review of Research in Open and Distributed Learning, 2014, 15(5): 177-196.

③ Thakran A, Sharma R C. Meeting the challenges of higher education in India through open educational resources: Policies, practices, and implications[J]. Social Science Electronic Publishing, 2016, 24: 37.

④ Gyabak K, Godina H. Digital storytelling in Bhutan: A qualitative examination of new media tools used to bridge the digital divide in a rural community school[J]. Computers & Education, 2011, 57(4): 2236-2243.

入家庭的学生在连接互联网 16 个月内的学习情况。结果显示，连接到互联网让这些学生的平均学分绩点（grade point average，GPA）提高了，且使用互联网的频率越高，其成绩提高越明显。[①]

2. 为弱势群体提供融入主流社会的渠道

难以融入主流社会、受到主流社会的排斥、信息隔绝等，容易导致社会群体的弱势化。[②]国外关于利用信息技术帮助弱势群体加强与主流社会的交流、从而更好地融入主流社会的研究，主要有两种类型。一种是利用移动技术或者 MOOC 为移民/难民提供教育资助，帮助他们学习移入地的语言和文化，以便更好地融入当地主流社会，如针对近年来困扰欧洲的移民/难民问题，欧盟委员会资助了一批利用移动技术帮助移民/难民适应欧洲环境和生活的项目。有学者对这些项目的实施效果进行了检验，如有学者通过对 39 名移民/难民的访谈，对他们在语言、公民教育、高等教育三个方面接受的教育进行了效果检验和分析。结果发现，这些项目在实施过程中存在目标重叠的问题，但在提高移民/难民的语言水平和熟悉当地文化方面仍然发挥了积极作用。[③]也有研究发现，澳大利亚移民/难民间存在数字鸿沟，这是由移民/难民对数字技术的物质获取和使用处于不平等地位造成的。让他们平等享有使用数字技术的机会可以缩小其数字鸿沟，从而更好地融入澳大利亚当地社会。[④]

另一种是利用信息技术为因各种原因与主流社会信息隔绝的群体提供信息服务。例如，西班牙一项旨在为不同群体提供获取 ICT 技术服务的项目（Weaving Networks），提供了包括获取 ICT 设备和资源、学习 ICT 的基本

① Jackson L A, von Eye A, Biocca F A, et al. Does home internet use influence the academic performance of low-income children?[J]. Developmental Psychology, 2006, 42(3): 429-435.

② 马广海. 社会排斥与弱势群体[J]. 中国海洋大学学报(社会科学版), 2004(4): 81-85.

③ Castaño-Muñoz J, Colucci E, Smidt H. Free digital learning for inclusion of migrants and refugees in Europe: A qualitative analysis of three types of learning purposes[J]. International Review of Research in Open and Distributed Learning, 2018, 19(2): 1-21.

④ Alam K, Imran S. The digital divide and social inclusion among refugee migrants: a case in regional Australia[J]. Information Technology & People, 2015, 28(2): 344-365.

操作等在内的 ICT 服务，服务群体包括中年夫妇、青少年、移民、有学习障碍的年轻人、老年人，相比主流社会群体，这些群体在获取 ICT 设备和资源、使用 ICT 技术方面存在一定的困难。研究结论显示，信息技术能够使他们更好地获取资讯，与主流社会保持更紧密的联系。[①]

3. 帮助特殊群体改善学习效果

这里的特殊群体包括具有视听障碍的残疾儿童、学习困难者、在理工科目上不占优势的女性学习者。国外研究证实，信息技术作为一种工具，能够帮助这些特殊群体改善学习效果。

20 世纪 80 年代，个人计算机开始出现并在各行业得到应用。有学者开始关注利用计算机为有视听障碍的残疾儿童提供支持学习的服务，如有研究者研究了用计算机技术辅助的音响合成器帮助盲人学生用语音输入命令控制计算机程序的效果。[②]还有研究者在澳大利亚一所聋哑人学校用计算机软件包对聋哑女生进行为期 12 周的干预研究，以提高她们的语言能力、注意力和学习态度，结果这些女孩打字技能提高了，分散注意力的行为减少了，亲社会的互动行为增加了，形成了对教师和学校更积极的态度。[③]进入 21 世纪后，计算机技术的功能越来越强大，学者开始关注新技术在帮助残疾人学习方面的功能。例如，有学者在印度用实验法研究了使用 iPad 帮助孤独症儿童改善学习的效果，他选择了 20 名 4—10 岁的孤独症儿童进行了为期 10 周的实验，结果发现，被试的学习动机增强了，语言交流能力得到提高。[④]

利用信息技术改善学习困难者的学习效果的研究始于 21 世纪初，此时的研究主要利用计算机多媒体技术进行。例如，有学者对使用多媒体著作系

① Salvador A C, Rojas S, Susinos T. Weaving networks: An educational project for digital inclusion[J]. Information Society, 2010, 26(2): 137-143.

② Vincent A T. Computer-assisted support for blind students: The use of a microcomputer linked voice synthesizer. CAL Research Group Technical Report No. 10[J]. Computers & Education, 1982, 6(1): 55-60.

③ Bailey J, Weippert H. Using computers to improve the language competence and attending behaviour of deaf aboriginal children[J]. Journal of Computer Assisted Learning, 1992, 8(2): 118-127.

④ Sankardas S A, Rajanahally J. iPad: Efficacy of electronic devices to help children with autism spectrum disorder to communicate in the classroom[J]. Support for Learning, 2017, 32(2): 144-157.

统帮助阅读困难者提高阅读效果的案例进行了分析，认为多媒体创作包的开放性特征可以激发学习者的创造性思维和对内容的兴趣，这些对于改善阅读效果具有积极作用。[①]随着计算机技术的发展，各种新式技术得到关注。例如，有研究利用三维动画软件帮助有严重学习困难的学生学习单词，这些软件支持图片和文字的变形、转换，这样可以让学习者更好地理解单词的含义。研究结果表明，这种方式比单纯记忆单词的效果要好。[②]

利用信息技术促进性别公平类的研究在国外持续的时间较长，研究数量和研究类型也比较多。20 世纪 80 年代，计算机逐渐普及以来，有学者对计算机在改善女性学习者在不占优势的理工类科目中的效果进行研究。例如，有学者利用创客活动引导 19 名拉丁美洲和非洲后裔的美国女生发展积极的自我概念。结果表明，创客活动能够帮助这些学生实现自我提高。[③]

二、信息技术在促进教育公平方面的局限性

信息技术在促进教育公平方面的局限性主要表现在，信息技术的使用对教育公平存在负面影响，甚至在一定情况下会扩大教育差距。例如，有研究者用北卡罗来纳州的公共管理数据（包括高收入和低收入家庭学生计算机的使用频率，以及他们的数学和阅读成绩），研究了信息技术是否有助于消除贫富学生之间的差距。数据分析结果表明，家庭计算机的引入会扩大而不是缩小不同收入家庭学生数学和阅读成绩的差距。[④]再如，有研究者使用美国国家教育进步评价（National Assessment of Educational Progress，NAEP）

---

① Dimitriadi Y. Evaluating the use of multimedia authoring with dyslexic learners: A case study[J]. British Journal of Educational Technology, 2001, 32(3): 265-275.

② Sheehy K. Morphing images: A potential tool for teaching word recognition to children with severe learning difficulties[J]. British Journal of Educational Technology, 2005, 36(2): 293-301.

③ Norris A. Make-her-spaces as hybrid places: Designing and resisting self constructions in urban classrooms[J]. Equity & Excellence in Education, 2014, 47(1): 63-77.

④ Vigdor J L, Ladd H F, Martinez E. Scaling the digital divide: Home computer technology and student achievement[J]. Economic Inpuiry, 2014, 52(3): 1103-1119.

2009 年的数据，对 12 年级学生的家庭获取计算机与其科学学业成绩之间的关系进行了分析。结果发现，对于所有种族、性别和社会经济地位的 12 年级学生来说，家里拥有计算机相比于没有计算机的学生，科学成绩是有所提高的。但是，原本具有的差距并没有因为拥有计算机而消除，数字鸿沟在不同种族、性别和社会经济地位的学生中依然存在。[①]

研究者认为造成这种现象的主要原因是，信息技术使用的效率造成了使用效果的差距。高收入家庭学生在使用计算机等信息技术资源时，更多地用于高阶思维学习任务的完成。家庭经济地位越高、学校资源越丰富的学生，在利用 ICT 进行数学学习时效率越高，学习成绩也越好。[②]而低收入家庭学生则相反，他们更多把使用计算机的时间和频率用于娱乐活动，而非学习活动。[③]

---

① Coffman M W. A national study of the relationship between home access to a computer and academic performance scores of grade 12 U.S. science students: an analysis of the 2009 NAEP data[D]. Lafayette: University of Louisiana, 2015.

② Ming M C. Effects of inequality, family and school on mathematics achievement: Country and student differences[J]. Social Forces, 2010, 88(4): 1645-1676.

③ 彭婷. “新数字鸿沟”下城乡教育实质公平问题探究[J]. 教育理论与实践，2015，35(28)：16-19.

第五章 信息化助力县域义务教育均衡发展的解决方案

第一节 信息化助力县域义务教育均衡发展的实践模式

一、双轨制数字学校模式

双轨制数字学校模式是依托虚实结合的双轨制数字学校，利用双轨制数字学校平台、多媒体课堂、同步互动混合课堂和同步互动专递课堂开展教学，解决农村教学点师资短缺，开不齐课、开不好课问题的一种教育信息化实践模式。该模式的核心要素包括数字学校、平台和三种教学结构（图 5-1）。

第一，双轨制数字学校。该概念是王继新等根据杨宗凯等的“双轨教学论”理念[①]提出来的[②]。它包括 n 个教学共同体，每个教学共同体由 1 个城镇中心校和 m 个教学点组成，m 的值不大于 3。中心校通过网络对教学共同

① 杨宗凯，刘三女牙. 双轨教学的理论省思[J]. 中国电化教育，2013(8)：24-27.

② 王继新，施枫，吴秀圆. “互联网+”教学点：新城镇化进程中的义务教育均衡发展实践[J]. 中国电化教育，2016(1)：86-94.

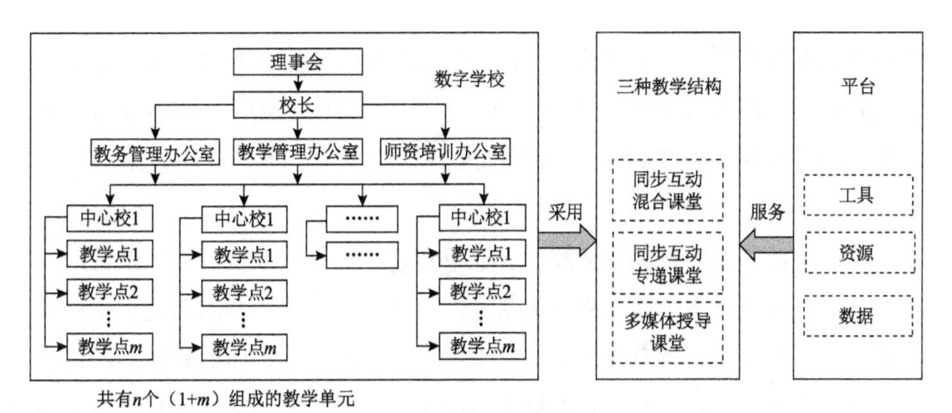

图 5-1　双轨制数字学校模式

体内的教学点进行授课，并与教学点共同承担具体的运行和管理工作。设置理事会作为决策机构，理事会下设由教育局局长或副局长担任的校长，负责数字学校的管理工作。校长下设教务管理办公室、教学管理办公室、师资培训办公室，分别负责数字学校的教学设备使用与维护、教学应用与评估、学生管理、中心校与教学点教师的培训和管理，以及经费与技术保障等工作。

第二，平台。为维护数字学校正常运转，需要相应的网络平台提供技术支持。双轨制数字学校平台的功能模块包括基础开放平台、总校、分校和校园端，用户包括中心校教师、教学点教师、学生、总校和分校的管理人员。基础开放平台为用户提供资源和数据服务，总校包括所有使用平台的区域，分校通常设置在县域地区，管理人员由县教育局指定。校园端将资源提供给教学共同体（即中心校和教学点的教师和学生）使用。教学点的教师可通过平台提供的工具进行互通，开展同步课堂的教学。

第三，三种教学结构。双轨制数字学校平台为中心校和教学点的教师提供了三种结构的教学方式，即多媒体授导课堂、同步互动混合课堂和同步互动专递课堂。多媒体授导课堂即利用计算机多媒体开展授导型的教学活动，双轨制数字学校平台上的教师空间提供的备课和授课功能可为此提供技术支持。同步互动混合课堂即利用网络将中心校和教学点连接起来同步开展教学，中心校的教师同时给本地和教学点的学生上课，教学点的教师辅助中心校教师组织本班教学，维护秩序，指导学生的学习。同步互动专递课堂即中心校的教师在授课现场没有本地学生的情况下，通过网络给教学点的学生授课，同样教学点的教师负责组织本地课堂的教学，维持秩序，指导学生学习。

概括而言，双轨制数字学校具有如下特点。第一，双轨制数字学校的三要素形成了有机整体，彼此相互关联，缺一不可。虚实结合的双轨制是一种创新，在不打破现有教育组织的前提下，成立对教学共同体的教学活动负责的机构，为教学活动的顺利开展提供组织保障。三种不同类型的教学结构为教学共同体提供了教学保障。其中，多媒体授导课堂是基础，两种同步课堂是解决教学点开不齐课、开不好课的关键，中心校和教学点可以根据实际情况选择一种方式开展教学。平台则为教学活动的开展提供了技术保障。第二，双轨制数字学校充分利用本地优质资源，实现资源共享，解决教学点开不齐课、开不好课的问题。本地教师给本地学生上课，在文化、生活习俗上同质，便于师生之间交流，也便于中心校和教学点教师与学生面对面交流活动的组织和开展。第三，双轨制数字学校既是一种教育信息化的实践模式，同时也是一种对教师进行沉浸式培训和提升的方式。在同步课堂中，教学点教师既是学生学习的辅导者，也是中心校老师的教学助理，在与中心校老师长期合作的过程中，其专业素质和教学水平亦会得到持续提高。

二、城乡互助双师模式

城乡互助双师模式的提出是基于“双师教学模式”的概念。“双师教学模式”是由国务院参事汤敏提出的，是借助信息技术实现发达地区与落后地区共享优质教师资源的一种教育信息化实践模式。双师课堂的教学由两位教师共同完成，一位是教学视频中的优秀教师，另一位是本地教师，前者称为“优师”，后者称为“本师”。2013 年秋季，国家基础教育资源共建共享联盟、中国人民大学附属中学（简称人大附中）、友成企业家扶贫基金会共同发起了“双师教学”项目，旨在把人大附中教师录制的教学视频用网络送到贫困地区的乡村中学去。到2018年时，这一项目已扩大到全国20多个省份的数百所贫困地区乡村学校中。[①]

为了更好地突出乡村学校“本师”是在城里学校“优师”的帮助下开展教学的，笔者团队提出将“双师教学模式”改为“城乡互助双师模式”（图5-2）。基于城乡互助双师模式的教学过程是：第一步，“优师”录制教学视频，并通过网络或其他方式传送给“本师”。第二步，课前，“本师”观看视频，熟悉“优师”的教学过程，根据需要裁剪视频。第三步，“本师”利用视频进行课堂教学。课堂上，“优师”负责讲解、演示教学内容，“本师”负责组织教学，控制视频播放进程，与学生互动，指导学生学习。第四步，课后，“优师”和“本师”通过网络就课程教学进行沟通、探讨。

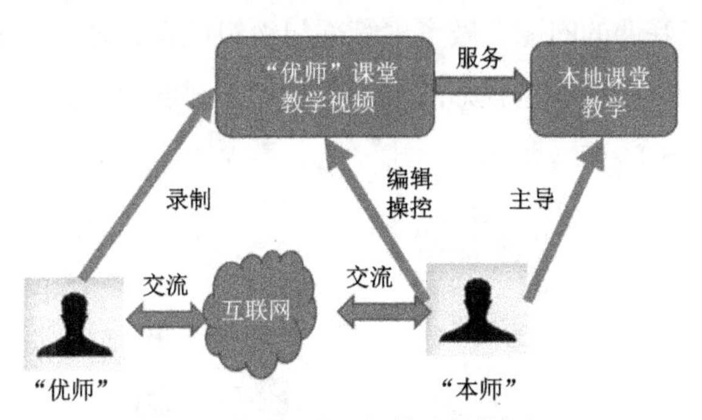

图5-2　城乡互助双师模式结构图

概括而言，城乡互助双师模式具有如下特点：

第一，在城乡互助双师模式中，城乡老师借助信息技术实现优势互补，共同完成课程教学。“优师”的优势是教学水平和专业素质较高；局限性是无法与学生实时互动。“本师”的优势是“接地气”，与学生在文化上同质，熟悉学生的个性和特点，能有针对性地进行指导；局限性是教学水平和专业素质较低。忽略任何一方的作用，都会影响课堂教学的质量。如果过于

① 张伟平，王继新．信息化助力农村地区义务教育均衡发展：问题、模式及建议——基于全国8省20县（区）的调查[J]．开放教育研究，2018，24（1）：103-111．

注重“优师”的作用，忽略“本师”，那结果和“本师”组织学生看电视无异。如果忽略“优师”，全是“本师”讲课，那和传统课堂也没有什么区别了。第二，城乡互助双师模式同样也是一种有效提升“本师”的培训方式。“本师”每天跟着视频以沉浸式的方式学习“优师”的教学方法，包括如何导入课程、如何讲解题目、如何分析教学内容等。长此以往，“本师”的教学水平和专业素养将得到大幅提升。第三，城乡互助双师模式采用异步方式开展教学，操作简单，易于推广。

三、有组织的 MOOC 模式

有组织的 MOOC 模式，即为解决农村薄弱学校和教学点师资短缺，开不齐课、开不好课的问题，教育主管部门组织优秀教师以 MOOC 的形式给教学点授课，学生在本地教师的组织和指导下开展学习的一种教育信息化实践模式（图 5-3）。

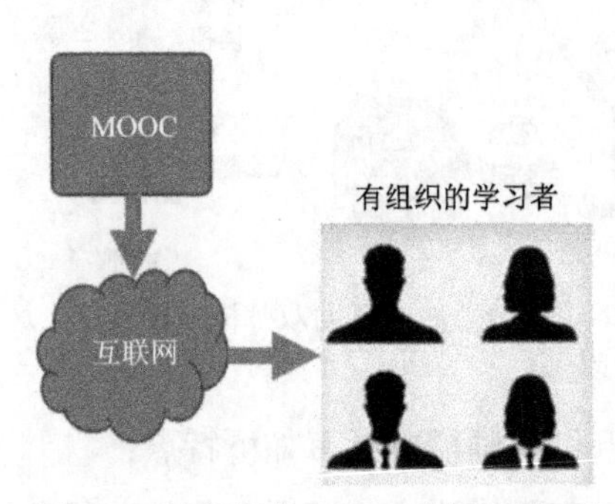

图 5-3　有组织的 MOOC 模式结构图

学习者可通过网络自主学习 MOOC，这就要求学习者有足够的自主性和自制力。MOOC 的优势是学习者通过网络即可接触到优质的教育资源，局限性是师生之间无法互动，教师教学的目标性和导向性不强。通常情况下，学习者通过 MOOC 学习是自发的，在无组织的环境下进行的。正如有学者指出的，MOOC 没有监督和约束，学习活动的开展要靠学习者自己设定学习目的、投入时间和精力，需要较强的自控力。但很多学习者不具备自我调控学习的经验和能力，不能很好地规划和执行学习计划[①]，这也导致了MOOC的较高退出率和较低通过率[②]。

有组织的MOOC模式能在一定程度上弥补MOOC的不足，让学习者通过组织，在有约束的环境中学习，弥补了MOOC模式需要学习者自己规划和组织学习的不足。有组织的MOOC模式操作便捷，成本低廉，适用于解决受众面广、因师资匮乏无法开设的课程教学，或者知识传授型课程的教学。例如，生命安全、心理健康等课程在县域一些学校往往因各种原因难以开设，此时，省级教育机构就可通过有组织的MOOC模式解决此类问题。但有组织的MOOC模式不适宜于师生互动和有针对性的指导，适用范围具有一定的局限性。在交互性比较强的课堂环境下，宜配置本地教师，负责组织和监督学生的学习，并与学生互动，指导他们的学习。

四、适切性数字资源全覆盖模式

适切性数字资源全覆盖模式，即运用能满足教学需要、符合学生认知特点、能够提升教学质量的数字教育资源于教学之中，帮助农村薄弱学校和教学点教师提高教学水平和质量，从而解决师资短缺和开不齐课、开不好课的一种教育信息化实践模式。

研究团队在调研中发现，在农村薄弱学校和教学点，“教学点数字教育资源全覆盖”项目提供的数字资源受到师生的一致好评。这些资源具有较强的针对性、实用性，且类型丰富，涵盖了小学阶段的各门课程，包括教学课件、教案、试题、辅导资料、电子图书等。教学课件符合学生的身心特点和教学基本规律，容易激发孩子的兴趣和求知欲，教案、试题、电子图书、辅导资料等能够帮助教师提升教学质量。整体而言，这些资源集教学性、科学

① 陈向东，曹安琪. 为什么没有坚持——一个MOOC学习个案的分析[J]. 现代远距离教育，2014(2)：9-14.

② 缪静敏，汪琼. MOOC研究国外发展概述[J]. 工业和信息化教育，2014(11)：3-10.

性、新颖性、趣味性、艺术性、简洁性于一身，颇受教师和学生的欢迎。

适切性数字资源全覆盖模式中的资源可不限于“教学点数字教育资源全覆盖”项目提供的数字教育资源，只要符合农村薄弱学校和教学点需求及学生认知特点，能够帮助师资短缺、教学质量不高的薄弱学校和教学点开齐开好课的数字教育资源，均属于此模式的资源。

概括而言，适切性数字资源全覆盖模式具有如下优点：第一，使用便捷，成本低廉。教师经过简单的培训便可利用数字资源开展教学。第二，对于纠正教学点教师发音不准、书写不规范，提高学生成绩具有积极意义。有利于扩大教师的知识面，提升教师的教学水平和技能，在一定程度上改善农村薄弱学校和教学点师资短缺，开不齐课、开不好课的问题，进而有利于促进优质教育资源的合理配置，缩小城乡教育差距，促进教育公平。第三，教学点教师年龄普遍偏大，在熟练、合理地使用这些资源方面存在一定困难，教育主管部门需加大服务力度，做好设备维护、教师培训等保障工作。

第二节　信息化支持县域义务教育均衡发展的环境建设规范

一、县域教育信息化应用系统架构

县域教育信息化应用系统架构从整体上规定了县、校两级教育信息化系统的建设内容及其逻辑关系。因此，县、校两级教育信息化系统的建设应遵守该框架结构，并充分考虑物联网、云计算、大数据、人工智能等先进信息技术的应用，以便向“智慧教育”系统平滑过渡。

县域教育信息化技术环境在“云服务”模式下，以教育宽带城域网为基础，上接地市、下通学校，为县教育主管部门和学校提供教育管理、教学、学习的工具，以及数字教育资源和数据服务。

县域教育信息化技术环境的建设应遵循下列原则：第一，坚持“先上后下”原则，优先使用国家、省、地市教育管理公共服务平台和教育资源公共服务平台等已建成的应用系统，不搞重复建设，同时为本地特色应用和资源建设提供技术支持。第二，以“肥中心、瘦学校”为指导思想，即县级应用层面承担主要的业务工作，学校将业务和服务器托管在县云平台上。第三，兼顾现有业务。已有校园网的学校，保留其已建业务，并为其提供开放的网络服务（Web Service）接口服务，以便上传自建资源和数据至县级教育云平台。县域教育信息化应用系统呈分级部署架构，包括县级应用和学校应用两个层面，按照“公有云+私有云+应用终端”的方式进行构建（图 5-4）。

公有云部分承担的主要功能有：通过上级接口承接国家、省、地市级的纵向应用业务，如国家的“三通两平台”业务、省和地市的特色业务；通过纵向业务接口将上级业务提供给县域单位，通过特色应用接口与建有校园网的学校联通；为县教育部门和学校提供办公自动化、电子政务等方面服务。

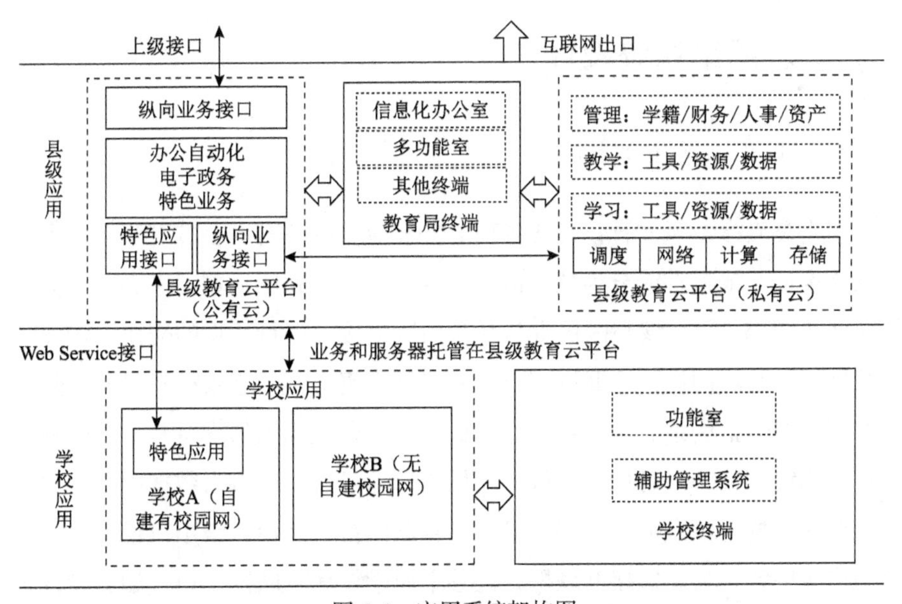

图 5-4　应用系统架构图

注：私有云部分的实线框和虚线框分别表示不同的功能。其中，实线框的调度、网络、计算、存储是技术功能，管理、教学、学习是应用功能

私有云部分承担的主要功能有：为教育局和学校提供调度、网络、计算和存储的托管服务；为教育行政部门提供学籍、财务、人事和资产管理服务，为教学和学习的功能实现提供工具、资源和数据服务；与公有云平台通过纵向业务接口进行内部对接。

应用终端分为县教育局应用终端和学校应用终端，县教育局终端以信息化办公室、多功能室为主，学校终端包括功能室和辅助管理系统。按照前文所述“兼顾现有业务”的原则，将已经建有校园网的学校称为学校 A，没有自建校园网的学校称为学校 B。学校 A 通过特色应用接口与县级平台对接，并可通过开放的 Web Service 接口上传资源和数据到县级平台。学校终端里的功能室包括计算机教室、多媒体教室、信息化办公室、多功能室、网络录播室、电子图书阅览室、数字化实验室等。辅助管理系统包括安全监控系统、课堂观摩系统、考务监控系统、校园电视系统、校园广播系统、校园一卡通系统等。

二、网络系统设计

（一）网络系统架构

网络是支撑县域教育信息化各项业务和应用的基石。县域网络架构采用区块化设计，根据功能分为核心区、互联网区、外联区、数据中心区和应用终端区（图 5-5）。核心区负责与互联网区连接，进行数据的交换、转发；互联网区是县域网络的互联网出口；外联区负责上接地市级教育局网；数据中心区主要包括网络、服务器、交换机、存储以及相关的支持软件和业务系统；应用终端区将教育局和学校的应用终端通过核心区接入数据中心。

对此架构有两点需要说明。第一，互联网接入采用二级出口设计，一级接地市级网络，另一级接互联网，区县下属学校无互联网出口。如此设计，主要考虑如果互联网出口设置在地市级，因地市级下属单位过多，容易造成互联网访问速度过慢。图 5-5 中的外联区即连接地市级教育网络的接口，互

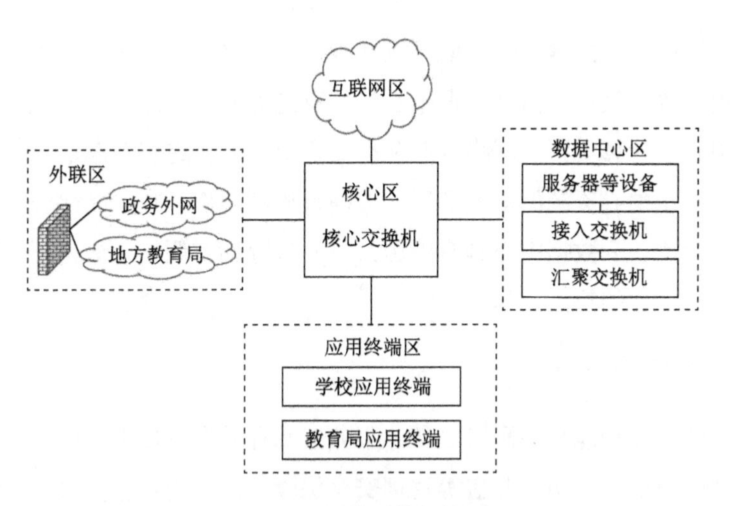

图 5-5　网络系统架构图

联网区即互联网出口。第二，将“数据中心”设置在县域层面，而不是地市级层面或者学校层面，主要考虑两点因素：①我国当前农村义务教育体制“以县为主”，县级教育主管部门是区域教育信息化建设的主体，在资金、技术、人才和政策等方面便于进行统一管理和调配。②相对于以地市为中心建设数据中心，以县域为单位建立数据中心，能够以更低的成本实现“云服务”，为区域教育信息化用户提供更佳的使用体验①，符合“肥中心、瘦学校”的教育信息化建设业务模式。依托于“云计算”的优势，学校无需另外进行业务和数据中心的建设规划，降低了系统建设和运行维护成本。

（二）网络系统建设内容

1. 云数据中心

数据中心是县域教育信息化技术环境系统的核心，通过网络向用户提供信息服务。数据中心的发展经历了数据存储中心阶段—数据处理中心阶段—信息中心阶段—云数据中心阶段。相较于前面几个阶段的数据中心，云数据

① 韩骏. 区域教育信息化基础环境建设[M]. 北京：北京大学出版社，2012：22-24，40.

中心“通过虚拟化技术，一方面可以在硬件服务器上实现多个虚拟服务器，通过应用和故障隔离，提高数据中心的计算能力和可靠性；另一方面能够整合数据中心的计算资源、网络资源和存储资源，并将它们动态地分配给虚拟机，实现数据中心资源的动态部署，提高资源利用率，减少能耗。与传统的数据中心相比，云数据中心具有资源共享、资源动态调整、绿色环保、高自动化和高可用性的特点”①。

2. 云数据中心的机房

机房的主要功能是为网络设备、服务器和存储设备提供存放和运行的空间，以及电力供应、防火防盗等物理安全保障。建设内容包括机房装修、电力系统、空调系统、消防系统、监控系统和布线系统。根据《电子计算机机房设计规范》（GB 50174—93），云数据中心机房可分为容错型、冗余型、基本型三个级别，县级云数据中心应参照基本型级别及上述标准建设。

3. 云数据中心的网络设备

网络设备可分为标配设备和选配设备，标配设备有互联网边界防火墙、核心交换机、汇聚交换机、接入交换机（表 5-1）。选配设备有互联网边界路由器、负载均衡设备、缓存设备、入侵检测设备。

表 5-1　标配设备及其功能②

标配设备	功能
互联网边界防火墙	具备行为管理和审计功能
核心交换机	实现数据交换，支持千兆/万兆以太网；具有冗余组件和极高的转发速率，具备强大的网络扩展能力、第 3 层支持功能、链路聚合功能、QoS 功能
汇聚交换机	支持 IPv6、远程访问控制和安全管理，支持 VLAN 划分和组播功能，交换容量满足下联设备千兆互联需要，配备冗余电源
接入交换机	连续的访问控制和策略，创建分隔的冲突域，确保工作组到分配层的连通性

① 钱琼芬，李春林，张小庆，等. 云数据中心虚拟资源管理研究综述[J]. 计算机应用研究，2012，29(7)：2411-2415.

② 国家技术监督局，中华人民共和国建设部. 电子计算机机房设计规范[S]. 1993.

（三）云数据中心的服务器和存储设备

配置企业级 Web 服务器、应用服务器、数据库服务器、认证服务器和管理服务器，具有独立的双外部设备互联（peripheral component interconnect，PCI）通道和内存扩展板设计，具有高内存带宽、大容量热插拔硬盘和热插拔电源、超强的数据处理能力和群集性能。Web 服务器和应用向浏览器等 Web 客户端提供文档服务和应用服务，CPU 配置宜在 4 核以上，内存≥32 GB，支持虚拟化技术，千兆以太网口≥2 个。数据库服务器具有 2 路 8 核以上 CPU 的，支持磁盘阵列（redundant arrays of independent disks，RAID），提供数据管理功能。认证管理服务器支持虚拟化技术，为用户和其他服务器提供身份和安全认证服务。存储设备存储文档、数据和资源，为私有云的运行提供物理存储服务，要求最小存储容量≥12 TB。[①]

（四）云数据中心的软件系统

软件系统包括系统软件和应用软件。系统软件是工具、资源和平台运行的基础，主要包括操作系统、数据库系统、服务器软件、网络管理软件和安全软件。操作系统可选用 Linux 或 Windows Server；数据库系统可选用 SQLServer 或 MySQL 等；服务器软件需配置虚拟化软件、云计算服务管理软件；网络管理软件具有故障管理、配置管理、性能管理、安全管理、计费管理等功能；安全软件包括安全审计软件、防病毒软件等，负责网络审计和病毒防治。应用软件包括教育管理公共服务平台、教育资源公共服务平台和数字校园综合管理系统。教育管理公共服务平台集成教育部、地市级和区县级各应用系统基础数据，以实现区县级单点登录，以及教育信息公共服务门户的功能，为公共用户提供数据查询和访问服务。教育资源公共服务平台集成国家教育资源、地市级教育资源、区县级和校级教育资源。数字校园综合管理系统包括学生、教师、学校资产及办学条件、教育规划与决策支持等。

---

① 国家技术监督局，中华人民共和国建设部. 电子计算机机房设计规范[S]. 1993.

三、传输网络

传输网络旨在实现网络中心与用户端的互联网连接，具有数据传输、数据控制、数据交换等功能，包括骨干网和接入网两部分。

1. 骨干网

骨干网是构建县域教育网络的重要体系结构元素，由县级网络中心及其相连链路组成，以一定的拓扑结构通过桥接器与路由器把不同的子网或局域网连接起来，为不同局域网或子网间的信息交换提供路径。骨干网网络的设计应达到运营级的要求，要考虑设备本身的冗余、容错能力，做到高稳定、高性能、高安全、易于管理和拓展。目前，我国网络三大运营商部署的骨干网的主流技术是 100 G 光传送网（optical transport network，OTN）交换技术。[①]在此技术条件下，县域骨干网的传输网络带宽采用光纤组网时要求≥1 Gbps，租用运营商通信信道组网时要求≥100 Mbps。

2. 接入网

接入网由校级局域网及其与上级教育城域网相连的上联链路组成，功能是将县域内分散在各地的教育局和学校等用户单位的终端设备接入骨干网中，实现网络的联通。接入网要求能兼容各种不同的远程接入方式。带宽主要依据接入单位的用户数量而定。当前，学校到教育城域网采用光纤接入，且学校师生人数≥1200 人时，接入带宽≥1 Gbps；学校师生人数在 300—1200 人时，接入带宽≥100 Mbps；学校师生人数≤300 人时，接入带宽≥10 Mbps。学校到教育城域网租用运营商通信信道时，接入带宽≥10 Mbps。另外，互联网出口带宽满足入网并发用户每台不低于 512 Kbps 的接入速率，出口总带宽≥下联计算机总数×512 Kbps×20%。[②]

---

① 袁夕征，李倩，熊臣，等. 100G OTN 技术分析及应用策略研究[J]. 数字通信世界，2014(10)：15-18.

② 重庆市教育委员会关于印发区县教育城域网建设标准和普通中小学“数字校园”建设标准的通知[Z]. 2013.

四、应用终端[①]

应用终端是连接在网络上，实现教育信息化功能的具体设备，建设内容包括配备指标、功能室终端和应用系统终端三个方面。为照顾不同单位和学校对教育信息化需求的差别性，研究团队将应用终端建设要求和数字校园建设进行了分类。应用终端建设要求分为“基本要求”（M）、“规划建议”（O）和“不要求”（N）三类，“基本要求”表示该项为必选，“规划建议”表示该项为可选，“不要求”表示该项不需要建设。数字校园建设按照学校规模（学校班级数量），依据《教育管理信息 教育管理基础代码》（JY/T 1001—2012）分为三类（表 5-2）。考虑到县域教育信息化建设的需要，将县教育局标记为“Ⅳ类”。

表 5-2　普通中小学校数字校园建设分类标准

学校类别	数字校园类型		
	Ⅰ类（代码：Ⅰ）	Ⅱ类（代码：Ⅱ）	Ⅲ类（代码：Ⅲ）
普通小学	6—12 个班（1—2 轨）	13—24 个班（3—4 轨）	25—48 个班（5—8 轨）
普通初中	6—12 个班（2—4 轨）	13—24 个班（5—8 轨）	25—48 个班（9—16 轨）
普通高中	6—12 个班（2—4 轨）	13—24 个班（5—8 轨）	25—48 个班（9—16 轨）

注：①轨，指每年级的平行班数。②小于 6 个班的学校，参照Ⅰ类数字校园建设标准，酌情减少配置执行；大于 48 个班的学校，参照Ⅲ类数字校园建设标准，酌情增加配置执行。③学校代码引自 JY/T 1001—2012

（一）配备指标

配备指标包括计算机配备的生机比、师机比、班级多媒体配备数量。生机比方面，普通小学、普通初中和普通高中的生机比可分别按照 10∶1、8∶1 和 8∶1 进行配置；师机比按照 1∶1 进行配置；班级多媒体数量按照每班 1 套的要求进行配备，以满足教师演示教学课件、视音频、图片、文

① 该部分内容参考了部分地方教育主管部门发布的教育城域网建设规划和数字校园建设标准，主要有河南省教育厅发布的《河南省教育城域网建设规范（试行）》《河南省中小学校数字校园建设标准（试行）》、重庆市教育局发布的《重庆市区县教育城域网建设标准（试行）》、甘肃省教育厅发布的《甘肃省数字校园建设标准（征求意见稿）》等。

字、动画的基本需求。[①]

（二）功能室终端

县教育局和学校应配备足够的信息化功能室，以满足管理、教学和学习的需要。具体的信息化功能室及其建设要求如表 5-3 所示。

表 5-3　信息化功能室及其建设要求[②]

功能室	建设要求	Ⅰ类	Ⅱ类	Ⅲ类	Ⅳ类
计算机教室	满足每生 1 台上计算机课的需要。房屋建筑、装修和设备安全符合国家相关要求	M	M	M	N
多媒体教室	每室 1 套多媒体教学设备，满足教学中教学材料演示、视音频、图片、文字展示的需要	M	M	M	N
信息化办公室	提供信息化办公的基本功能，连接互联网，具有电子文档编辑、打印、扫描等功能	M	M	M	M
多功能室	可与会议室合建，具有数字化信息演示的功能，满足会议、报告的需求	M	M	M	M
网络录播室	具有课堂录播、互动教学、直播、远程交互培训、视频会议等功能	O	O	M	O
电子图书阅览室	贮藏音像电子图书资料，提供网络借阅功能，设备数量满足不少于 1 个班学生每人 1 机的需求	O	O	M	O
数字化实验室	配置数据采集设备、传感器设备，支持小学科学，中学物理、化学、生物、历史、地理等课程教学中探究实验的开展	O	O	O	N

（三）辅助管理应用系统终端

教育局和学校应配备必要的辅助管理应用系统，以更好地开展管理和应用活动。这些系统主要包括安全监控系统、课堂观摩系统、考务监控系统、校园电视系统、校园广播系统、校园一卡通系统。具体配备和建设要求见表 5-4。

① 河南省教育厅关于印发《河南省中小学校数字校园建设标准（试行）》的通知[Z]. 2018.

② 河南省教育厅关于印发《河南省中小学校数字校园建设标准（试行）》的通知[Z]. 2018.

表 5-4　辅助管理应用系统及其建设要求[①]

系统	建设要求	Ⅰ类	Ⅱ类	Ⅲ类	Ⅳ类
安全监控系统	满足教育局和学校安全的需要，实现 24 小时无死角监控	M	M	M	M
课堂观摩系统	满足校内网络观摩班级课堂教学使用，具有网络录课功能。普通班级配备高清摄像机、全向抑噪拾音器	O	O	O	N
考务监控系统	能满足学校监考全程无死角监控的要求	O	O	O	M
校园电视系统	具备自办节目播放、电视节目转播、召开视频讲座、教育教学录像播放等功能	O	O	M	O
校园广播系统	每校 1 套，满足学校升旗仪式、课间操、眼保健操、全校集会、英语考试听力测试、校园广播节目播放的需求	M	M	M	O
校园一卡通系统	每套系统包含电子学生证、读卡器、显示终端、管理平台，具备校内考勤、消费、签到、图书管理、家校沟通等功能	O	O	M	O

第三节　小学段数字化课程资源建设规范

一、教学素材建设要求

教学素材是指教学过程中使用的文本、图形、图像、动画、视频、音频等多媒体材料，是教学课件、网络课程、教学案例等教学资源的基本组成元素，是承载教学信息的基本单位。

教学素材资源建设的教学要求包括：符合课程标准的要求，应用对象和教学目标明确；支持解决教学问题，对教学起正面促进作用；自成体系，具有完整的结构；符合课程教学实施需要，易于使用与推广。

此外，各类教学素材资源应采用主流格式存储，大小合适，能够在常用教学终端流畅播放。

教学素材的指标及其要求、属性如表 5-5 所示。

① 河南省教育厅办公室关于印发《河南省中小学数字校园评估标准（试行）》的通知[Z]. 2018.

表 5-5　教学素材的指标及其要求、属性[1]

指标	要求	属性
文本素材技术指标	纯文本采用 UTF-8 编码或 GB18030 编码	M
	英文字母和符号使用 ASCII 编码、存储	M
	采用简体字和常见字体，如宋体、黑体、微软雅黑、Times New Roman 等	M
	采用常见的存储格式，如 TXT、DOC、PDF、RTF、HTM、HTML、XML 等	M
	文字色彩搭配协调，风格统一	M
图形/图像素材技术指标	彩色图像颜色数不低于真彩（24 位色），灰度图像的灰度级不低于 256 级	M
	扫描图像的扫捕分辨率不低于 72 DPI	M
	采用常见的存储格式，如 JPG、PNG、GIF 等	M
音频素材技术指标	数字化音频的采样频率不低于 44.1 KHz，码流为 128 Kbps	M
	声道数为双声道	O
	采用常见的存储格式，如 WAV、MP3、WMA 等	M
	若用于网络传输，音频数据应制成流式媒体格式（MP3、ASF 等）	M
二维动画素材技术指标	画面尺寸适中，分辨率一般约 800 像素×600 像素	M
	画面稳定，镜头转换流畅，无抖动、闪烁、扭曲、跳跃等，满足 24—30 帧/秒的要求	M
	背景清晰自然，与整个动画风格一致	M
	动画中的声音清晰流畅，采样率不低于 22.05 KHz，采用双声道，声音与动画有良好的同步	M
	文字清晰，采用简体字及常用字体，字体及字体样式不超过 3 种	M
	采用 SWF、MP4 等常用的存储格式	O
视频素材技术指标	分辨率不低于 640 像素×480 像素	M
	视频帧率不小于 25 帧/秒	M
	视频的码流一般为 1—3 Mbps	M
	采用常见的存储格式（AVI、MPEG、WMV、MP4 等），支持常用教学终端的流畅播放	M
	依托于网络传输，视频数据应制作成 FLV 格式或 MP4 格式	M
	彩色视频素材每帧图像颜色数不低于 256 色	M

① 首都课程辅助资源种类及基本标准. https://www.docin.com/p-1542858132.html，2014-03-25/2022-09-02.

续表

指标	要求	属性
视频素材技术指标	黑白视频素材每帧图像灰度级不低于 128 级	M
	字幕要使用符合国家标准的规范字	M
	音频与视频图像有良好的同步	M
	语音根据教学需要采用标准的普通话	M
	音频播放流畅，声音清晰，噪声低	M

二、教学课件建设要求

教学课件是指根据教学需要，在一定的学习理论指导下，经过教学设计，以多种媒体表现、具有良好结构、能满足某个单元或知识点教学需要的一种软件。例如，演示文稿、动画课件、电子白板课件等。

（一）教学要求

具体包括：①符合课程标准的要求，内容完整，与新课程教材中至少一个学期的教学内容配套；②内容组织及其结构合理，知识点关联清晰，语言准确、严谨；③教学目标清晰、定位明确，重难点突出；④多媒体技术运用恰当，并具有相应的控制技术，操作方便、灵活，采用多种教学媒体呈现教学内容，有效支持教学过程；⑤学习导航清晰，能够满足内容展示、教学评价等需要；⑥能够支持解决教学问题，对教学起正面促进作用，易于使用与推广。

（二）技术要求

教学课件一般采用演示文稿、二维/三维动画技术等实现，并采用主流格式存储，大小合适；支持 Windows、Mac OS、Linux 等操作系统，并能在常用教学终端中流畅运行。课件的画面应清晰、稳定，动画、影像播放流畅；声音与动画保持良好的同步。教学课件的基本组成元素及其属性如表 5-6 所示。

表 5-6 教学课件的基本组成元素及其属性

基本组成元素	属性
基本信息：课件教学单元（知识点）名称、作者、适用范围（年级、教材版本等）	M
教学目标、教学步骤/教学内容目录	M
体现教学内容与策略的素材组合	M
教学评价内容	O

三、网络课程建设要求

网络课程是指以计算机网络为基础实现的课程教学内容及实施的教学活动的总和。①从组成内容来说，它包含基本信息、教学内容、教学活动和教学评价等课程教学必备的要素（表 5-7）。从组成形式来说，它包含符合网络学习特点、按照一定的教学目标组织起来的课程教学内容和网络课程教学支撑环境，以及基于以上二者开展的网络教学活动。

表 5-7 网络课程的基本组成②

项目	元素	属性
基本信息	课程特点、教学目标、教学内容覆盖面、教学方法及组织形式、授课对象要求、教材与参考资料等内容	M
教学内容	使用多媒体形式表现，适合于网络学习的单元教学内容；表现方式可以是多媒体网页、授课视频、虚拟实验等各种形式	M
教学评价	包括作业、练习反馈、在线测试等用于课程过程性评价与总结性评价的内容	M
教学支持服务	包括在线答疑、作业批改、小组讨论等	O
学习参考资源	包括案例库、习题库、问答库等参考性扩展资源	O

（一）教学要求

网络课程建设的教学要求包括：①课程内容符合课程目标的基本要求，知

① 戴妍，袁利平. 论主体间性网络课程及其建构路径[J]. 电化教育研究，2016，37(6)：49-53，60.

② 国家市场监督管理总局，中国国家标准化管理委员会. 信息技术学习、教育和培训在线课程（GB/T 36642—2018）[S]. 2018.

识体系结构完整，内容组织及其结构合理，知识关联清晰；②课程内容划分为合适的学习单元或模块，内容目标一致，符合课程的内在逻辑体系和学生的认知规律；③目标层次清晰，包含课程、章节、知识目标，重点突出，难点突破，启发性强，有利于激发学生的学习热情；④按照知识点的逻辑关系合理地组织编排课程内容；⑤多媒体资源运用恰当，媒体呈现形式多样，能有效支持教学过程；⑥学习导航清晰，能够满足内容展示、教学评价等需要；⑦提供作业、练习反馈、在线测试等课程评价方式，评价及时、有效、可靠。

（二）技术要求

网络课程一般采用 HTML、三分屏视频流、Flash 等技术实现，要求兼容常用浏览器，运行流畅。课程学习的画面质量应清晰、稳定，动画、影像播放流畅；声音与画面保持良好的同步；界面风格统一，布局合理，色彩搭配协调，视觉效果良好，符合视觉心理。课程运行效果能满足个体学习需要。网络课程中使用到的各类素材资源技术指标应符合教学素材类资源中相关素材的规定，使用到的教学录像应符合表 5-8 的要求。

表 5-8　教学录像技术要求①

元素	属性
教学录像按教学单元或知识点录制	M
录像环境光线充足、安静，教师衣着得体，声音清晰，板书清楚	M
视频压缩采用 H.264（MPEG-4 Part10：profile=main，level=3.0）编码方式，码流率在 256 Kbps 以上，帧率不低于 25 帧/秒，分辨率不低于 720 像素×576 像素（4：3）或 1024 像素×576 像素（16：9）	M
字幕要使用符合国家标准的规范字	M
字幕的字体、大小、色彩搭配、摆放位置、停留时间、出入屏方式力求与其他要素（画面、解说词、音乐）搭配恰当，不能破坏原有画面	O
采用 MP4 格式	O

① 华中师范大学. 关于做好免费师范生教育硕士网络课程资源建设工作的通知[EB/OL]. http://gs.ccnu.edu.cn/info/1079/1941.htm,2013-07-04/2022-12-20.

四、教学案例建设要求

教学案例是指记录教育教学过程中发生的教学活动、典型意义事例及相关信息的资源。概括来说，教学案例有两类，一类可用于教师总结教学经验，开展教研，促进教学水平提高。这类教学案例包括教学设计方案、教学课件、课堂视频实录和教学反思四个部分（有的还包含专家点评）。另一类用于帮助学生完成某个知识概念的理解与建构，如课堂教学视频将教师讲授的过程以视频的方式记录下来，可以让学生反复观看，帮助其提高学习效率。

（一）教学要求

具体包括：①教学主题鲜明，教学目标明确，反映学科教学特点，体现课程标准要求，解决学科教学实际问题；②教学方法选用得当，教学手段运用合理，注重教学互动，充分体现以学生为主体，对教学有促进作用；③教学过程、教学环节完整，体现教学设计、教学实施、教学反思等内容，重难点突出；④教学案例要具有借鉴意义和教学示范价值，能启发教学，授课教师应为名师、特优教师与骨干教师。

（二）技术要求

教学案例中的各类素材资源的技术指标应符合教学素材类资源中相关素材的规定，教学录像符合教学录像指标的相关要求。

五、微课资源建设要求

微课是指按照最新颁布的课程标准及教学实践要求，以帮助学生解决学习中的问题或梳理学习方法为目的、以短小视频（5 分钟左右）为主要媒体形式的数字教学资源。关注的是学生对知识习得和问题解决的过程，目的是为学生自主学习和自主解决问题提供必要的帮助。

（一）教学要求

具体包括：①符合课程标准的要求，针对某一知识点的教学内容完整，短小精悍，语言准确、严谨；②内容组织及其结构合理；③教学目标清晰、定位准确，重难点突出，有利于学生自主学习；④能够提供有效的教学反馈；⑤能够支持解决教学问题，对知识理解与知识建构起正面促进作用。

（二）技术要求

微课视频一般采用视频或整合相关资源的网页进行呈现，大小合适，便于在宽带条件下快速下载；若采用网页进行呈现，要求兼容常用浏览器并流畅运行。画面质量应清晰、稳定，播放流畅；声音与画面保持良好的同步。

微课视频一般采用视频格式文件，能够在常用浏览器上流畅运行，快速下载。微课（视频）资源的播放画面应清晰、稳定；声音与画面同步。拍摄录像时可采用录屏软件、电子白板、手机、DV 摄像机、数码相机等多种设备，并对拍摄到的视频进行编辑，具体要求如下所示。

稳定性：全片图像同步性能稳定，无失步现象，CTL 同步控制信号必须连续：图像无抖动跳跃现象，色彩无突变，编辑点处图像稳定。

色调：白平衡正确，无明显偏色，多机拍摄的镜头衔接处无明显色差。

声音和画面要求同步，无交流声或其他杂音等缺陷。

伴音清晰、饱满、圆润，无失真、噪声杂音干扰、音量忽大忽小现象，解说声与现场声无明显比例失调，解说声与背景音乐无明显比例失调。

（三）格式参数

通用参数如下：

视频文件格式：MP4。

视频编码采用 H.264。

视频帧率不低于 20 帧/秒。

视频码流率：不低于 100 Kbps，不高于 1000 Kbps。

音频压缩采用 AAC（MPEG4 Part3）格式，采样率为 44—48 KHz，音频码流率为 96—128 Kbps。

视频分辨率：不低于 320 像素×240 像素，不高于 720 像素×576 像素。

文件命名：主题名称+学科+年级+教材版本+教师姓名。

视频首页：视频首页应包含主题名称、教材版本、学科、授课年级、教师/团队姓名等信息，不愿署名的作品，可以只具体到学校。

第四节　信息化支持县域义务教育均衡发展的投入机制

一、县域教育信息化发展与经费投入

县域教育信息化发展可分为三个阶段：初级阶段，即网络通道建设阶段；中级阶段，即网络平台初步形成阶段或资源库建设阶段；高级阶段，即信息化平台深层次发展阶段或资源深度整合阶段。义务教育优质均衡发展是义务教育均衡发展的高级阶段，是在教育机会均等和资源均衡基础上的优质发展，也是教育信息化发展的高级阶段。我国县域义务教育发展水平尚不处于同一阶段，因此其经费投入也不一样。

1. 经费投入与县域经济发展水平密切相关

义务教育优质均衡发展是新时期我国义务教育发展的战略目标[①]，其经费投入和县域经济发展水平密切相关。经济发展水平高的县域的义务教育均衡发展基础较好，对义务教育优质均衡发展的要求相对较高，因此其经费投入是不会停留在低层次水平的。经济发展水平较低的县域，如果想要实现义

① 中共中央、国务院印发《中国教育现代化 2035》[EB/OL]. http://www.gov.cn/zhengce/2019-02-23/content_5367987.htm，2019-02-23/2022-09-02.

务教育优质均衡发展，必须进行高投入，但这些县域经济发展水平有限，这就需要中央政府和省级政府给予一定的财政转移支付，来保证经济发展水平相对落后的县域实现义务教育优质均衡发展。

2. 经费投入与教育财政体制以及教育信息化投入政策密不可分

2001 年，《国务院关于基础教育改革与发展的决定》提出了“在国务院领导下，由地方政府负责、分级管理、以县为主”的义务教育管理体制，这一体制明确了各级政府对农村义务教育的责任，强化了各级政府特别是县级政府对农村义务教育管理和投入的责任。农村义务教育投入是县域教育投入的重要组成部分，其管理和投入的责任自然由县级政府承担。2002 年，《国务院办公厅关于完善农村义务教育管理体制的通知》进一步强调了县级政府对农村义务教育负有主要责任，如要求“农村中小学购置教学仪器设备和图书资料所需经费，由县级人民政府安排。”这种“以县为主”的教育财政体制充分发挥了地方办学的积极性，但客观上削弱了中央财政在县域教育信息化建设中的投入责任，造成了城乡之间、地区之间和省内不同地区之间在教育信息化发展上的差异，显然不利于信息化支持县域义务教育优质均衡发展。

2003 年，《国务院关于进一步加强农村教育工作的决定》要求“县级政府要切实担负起对本地教育发展规划、经费安排使用、校长和教师人事等方面进行统筹管理的责任。中央、省和地（市）级政府要通过增加转移支付，增强财政困难县义务教育经费的保障能力。特别是省级政府要切实均衡本行政区域内各县财力，逐县核定并加大对财政困难县的转移支付力度”。这表明中央、省级政府对农村义务教育的投入责任在加强，对县域教育信息化投入的责任也在加强。2005 年，《国务院关于深化农村义务教育经费保障机制改革的通知》决定，农村义务教育经费保障机制改革，从 2006 年农村中小学春季学期开学起，分年度、分地区逐步实施。其中 2006 年，西部地区农村义务教育阶段中小学生全部免除学杂费，提高公用经费保障水平，启动全国农村义务教育阶段中小学校舍维修改造资金保障新机制，建立中央和地方分项目、按比例分担的农村义务教育经费保障机制。这表明我国开始建立分项目、按比例分担的农村义务教育经费投入体制，作为重要组成部分的县域基础教育信息化投入，也建立了由中央和地方政府分项目、按比例分担的投入机制。

为了有效保障教学点配备数字教育资源和播放设备，2012 年《教育部关于全面启动实施“教学点数字教育资源全覆盖”项目的通知》中要求“中央财政原则上按各地启动建设的教学点数拨款。有条件的地区可增加配置或采用更高级的技术和应用方案，经费缺口由地方财政配套补足。项目管理和设备运行、维护、更新费用由地方财政统筹解决。严禁向学生和学生家庭摊派”。教学点是县域义务教育优质均衡发展的难点，也是县域教育信息化投入的重点，教学点的数字教育资源和播放设备由中央财政投入，管理和运行经费由省级政府和县级政府统筹解决，这就大大减轻了县级政府教育信息化投入的负担，显然有利于信息化支持县域义务教育优质均衡发展的顺利实施。而且，该通知明确了地方政府在教学点更新配置或采取更高级的技术和应用方面经费缺口的主体责任，有利于教学点教育信息化设备和技术及应用的更新换代。

2013 年，《教育部 国家发展改革委 财政部关于全面改善贫困地区义务教育薄弱学校基本办学条件的意见》发布，其中改善贫困地区义务教育薄弱学校基本办学条件的重点任务之一就是推进农村学校教育信息化，要求“要逐步提升农村学校信息化基础设施与教育信息化应用水平，加强教师信息技术应用能力培训，推进信息技术在教育教学中的深入应用，使农村地区师生便捷共享优质数字教育资源。稳步推进农村学校宽带网络、数字教育资源、网络学习空间建设。要为确需保留的村小学和教学点配置数字教育资源接收和播放设备，配送优质数字教育资源。加快学籍管理等教育管理信息系统应用，并将学生、教师、学校资产等基本信息全部纳入信息系统管理”，并要求“农村义务教育经费保障机制重点保障学校基本运行需要和校舍维修；在原有基础上扩充薄弱学校改造计划内容，将信息化建设和农村小学必要的运动场、学生宿舍、食堂、饮水设施、厕所、澡堂等教学和生活设施纳入支持范围”。这表明国家将县域义务教育信息化建设作为农村教育的重点，经费投入按照分项目、按比例的原则由各级政府分担，这就更加清晰地明确了县域教育信息化投入的责任划分问题。

2016 年，《教育信息化“十三五”规划》要求“加大中央财政对中西部地区教育信息化的投入力度，引导地方加强对农村、边远地区教育信息化的经费支持力度”，并要求要明确“政府在教育信息化经费投入中的主体作用……建立社会团体、企业支持和参与的多元化投入机制”。针对学校网络使用资费过高的问题，该规划提出“鼓励基础电信企业建立对各级各类学校的网络使用资费优惠机制”；针对学校信息化资源和服务经费支出难以保障的问题，该规划明确要求“各地要切实落实国家关于生均公用经费可用于购买信息化资源和服务的政策，优化经费支出结构。要明确教育信息化经费在当地生均公用经费、教育附加费中的支出比例，形成教育信息化经费投入保障机制”。这表明国家开始细化教育信息化投入，教育信息化资源和服务的经费有了更为明确的来源，但遗憾的是，该规划并没有明确教育信息化经费在生均公用经费、教育费附加中的具体支出比例，这就给县级政府如何使用这部分经费带来了不小的难度。

3. 经费投入是一个长期复杂的过程

在信息化支持县域义务教育优质均衡发展的过程中，经费投入始终是一个至关重要的问题，也是进行县域教育信息化建设不能回避的问题。就县域教育信息化的硬件建设和资源建设来说，一方面，县域教育信息化的硬件建设必然是一个高投入的过程，硬件系统的运行维护和更新换代、网络运行资费等，都需要强有力的资金作为后盾，没有足够的资金支持，是难以保证县域教育信息化发展的，也就难以支持县域义务教育均衡发展。另一方面，随着信息技术的高速发展，软件更新换代的速度非常快，县域教育信息化建设中的软件开发也同样需要大量资金支持。而且，县域教育信息化发展水平越高，这个方面的资金需求就越大。可见，在信息化支持县域义务教育优质均衡发展过程中，县域教育信息化投入并非一劳永逸的过程，从某种程度上讲，是一个资金推动的过程，一旦县域教育信息化建设出现经费投入不足的状况，信息化支持县域义务教育优质均衡发展的进程就会受到严重的影响。

从这个意义上讲，县域教育信息化投入是一个长期复杂的过程，也是信息化能否支持县域义务教育均衡发展的核心。如果没有一个稳定的投入机制，是难以保证信息化支持县域义务教育均衡发展的。

二、县域教育信息化发展经费投入的分类与构成

1. 经费投入的分类

信息化支持县域义务教育优质均衡发展的经费投入可分为两大类：一类是县域教育信息化一次性投入，主要包括教育信息化基础设施建设、教育信息系统与应用软件和教育信息资源、教育信息化人员配备和教育信息化相应的培训费用等。另一类是县域教育信息化后续投资，主要包括教育信息化运行、教育信息化维护、教育信息化软件升级更新和教育信息化资源后续开发与建设、教育信息化管理和教育信息化各类支持服务、教育信息化人员配备和教育信息化培训等费用。

2. 经费投入的构成

信息化支持县域义务教育优质均衡发展的经费投入由四个部分构成：其一，基础设施和硬件投入，主要包括信息技术设备、设施的建设，如计算机教室、多媒体教室、网络教室、校园网、电子阅览室、数字图书馆等方面的建设费用。其二，教育软件和数字教育资源投入，主要包括教学应用软件、多媒体课件、电子教材、数字教育资源库等方面的建设费用。其三，运转经费投入，主要包括平台租赁费用、电费和网络服务费等。其四，人员经费投入，主要包括由信息技术教师的引进和培训等产生的费用。

三、县域教育信息化发展的经费来源

1. 政府

义务教育是一种外溢性很强的地方性公共产品，根据公共产品理论，发

展义务教育是政府义不容辞的责任，推进县域教育信息化进程同样也是政府的责任，各级政府是推进信息化支持县域义务教育优质均衡发展的主要力量，只有政府确保对县域教育信息化的经费投入，才能有效保证这项工作的顺利开展。中央政府和省级政府应根据农村义务教育经费保障机制和《教育部 国家发展改革委 财政部关于全面改善贫困地区义务教育薄弱学校基本办学条件的意见》的要求，承担各自应该负担的经费比例。同时，根据《教育信息化 2.0 行动计划》，各地要切实落实国家关于财政教育经费可用于购买信息化资源和服务的政策，加大教育信息化投入力度。

2. 社会力量

社会力量是信息化支持县域义务教育优质均衡发展一个很重要的资金来源，而且社会资金的引入不仅可以拓宽经费来源，还可以提高经费投入的使用效益。例如，美国政府为了弥补教育信息化经费欠缺的问题而实行了外包。外包是指学校通过合同的方式，将学校内部某些 IT 业务或服务项目，通过向外部机构支付费用的方式移交给专业机构来承担。通过这种方式，学校可以减少工作人员和服务成本支出，提高国家投入经费的使用效益。①社会资金不仅是信息化支持县域义务教育优质均衡发展经费投入的一个重要来源，而且契合现代教育信息化发展的趋势。教育部 2018 年发布的《教育信息化 2.0 行动计划》中明确提出要“创新机制，多元投入”“积极鼓励企业投入资金，提供优质的信息化产品和服务，实现多元投入、协同推进”。

3. 学校自筹

信息化支持县域义务教育优质均衡发展是一项复杂的系统工程，建设任务重，资金需求量大。如果仅仅依靠政府投入或者社会机构或企业投资，那么学校的教育信息化发展就会显得被动和消极。因此，义务教育各级各类学校应该主动出击，充分发挥学校自身的积极性，主动筹措资金来促进学校的教育信息化发展。

① 赵国栋. 信息时代的大学：美国高等教育信息化发展及其启示[J]. 现代教育技术，2003(5)：11-17.

4. 个人投入

在政府投入、社会力量介入、学校自筹资金的情况下，还有部分经费可由学生来承担，如目前国际上一些国家已经开始鼓励学生将个人的电脑、手机、平板电脑等设备带进学校，并在上课时使用，这种方式被称为自带设备（bring your own device，BYOD）。[①]自带设备可以在一定程度上缓解学校的经费压力。

随着经济的发展，人民物质文化生活日渐丰富，公众需求呈现多元化的趋势，仅靠政府的资源投入无法保证优质教育信息资源的供给，增加个人投入可以充分满足学生的多元需求。值得注意的是，个人投入一定要在自愿的基础上进行，不能强行摊派或变相摊派，否则就会削足适履，违背义务教育免费性原则。

四、县域教育信息化发展的经费筹措

1. 建立政府、社会力量和个人等积极参与的多渠道经费筹措机制

要创新信息化支持县域义务教育优质均衡发展的经费投入模式，积极实行“政府主导、社会参与、市场运作、教企合作”的多渠道经费筹措机制。在各级政府持续投入的基础上，鼓励社会资本以成立基金、校企合作或捐赠等方式参与县域教育信息化建设。

具体来讲，在基础设施建设方面，仅仅依靠政府和学校的力量是远远不够的，需要通过国家政策导向调动社会各界的力量，鼓励和支持企业积极参与县域教育信息化基础设施建设。这就需要为企业的投资营造一个良好的环境，如通过减税等税收优惠政策，来降低私营部门投资县域教育信息化基础设施建设的不确定性。在运维和服务方面，要建立教育信息化建设的市场反哺和运维长效机制，实现教育信息化建设从短期项目驱动机制转向长期稳定

① 李卢一，郑燕林. 美国中小学“自带设备”(BYOD)行动及启示[J]. 现代远程教育研究，2012(6)：71-76.

的政策驱动机制，从根本上解决项目建设的运维和增值服务。允许企业在参与教育信息化运维中获取一定的收益，通过市场反哺行为促进企业长期参与教育信息化运维。[①]随着学生和家长对现代化教育信息化设备的需求越来越旺盛，根据国外经济发达国家教育信息化的基本经验，可通过鼓励有条件的家庭自带设备和优质数字教育资源使用付费等方式，促进县域义务教育优质均衡发展。

2. 实行多样化的经费投入模式

目前，我国各县域的经济社会发展水平和教育信息化发展程度还存在差异，如果采取整齐划一的经费投入模式，会导致信息化支持县域义务教育优质均衡发展的进程不统一。

根据我国县域教育信息化经费投入的典型经验，信息化支持县域义务教育优质均衡发展的经费投入模式应是多样化的，主要有以下七种模式：①中央政府财政拨款和地方配套的模式；②政府财政拨款与基金会联合的模式；③政府财政拨款为主、适当收取上机费用为辅的模式；④财政局、教育局、学校共同出资的模式；⑤企业投资，政府和学校共同偿还的模式；⑥金融租赁，政府、企业、学校共同保证的模式；⑦买方信贷的模式等。[②]其中，前三种模式为中央政府采取的模式，主要适用于中西部经济欠发达地区、市场经济发展程度不高的县域；后四种模式主要适用于东中部经济较发达、市场经济发展程度较高的县域。

值得注意的是，以上七种模式应用于实际时并非千篇一律，死板一块，有些中西部县域采取金融租赁，政府、企业、学校共同保证以及买方信贷等模式也并非不可行，需要注意的是金融风险以及县级政府的经济承受能力。如果盲目追求市场化的经费投入模式，忽视县级政府的财政压力和群众的承受力，结果可能是得不偿失。

---

① 张屹，王曦，李媛，等. 我国基础教育信息化可持续投入机制的研究[J]. 中国电化教育，2011(8)：34-38.

② 郑伦仁. 基础教育信息化建设工程投资模式研究[J]. 中国电化教育，2007(1)：41-44.

第五节　信息化支持县域义务教育均衡发展的绩效评估

一、绩效评估的主体

信息化支持县域义务教育优质均衡发展的绩效评估主体既可以是官方的（政府内部的组织或个人），也可以是非官方的（如政府外部的研究机构、学术团体、高等院校、专家学者等）。但是，无论是官方评价主体还是非官方评价主体，都应当具有独立性，如果没有独立性，就无法保证绩效评估的客观性与可靠性。

信息化支持县域义务教育优质均衡发展是一项高投入的、复杂的系统工程，而第三方评估是一项重大创新，它不仅可以保证绩效评估的独立性，还可以提高绩效评估的专业性和科学性。但独立性并不意味着孤立性，评价人员、项目管理人员、工作人员和受益人之间的互动能提高评价的效果与用途。[①]因此，第三方评估机构在对信息化支持县域义务教育优质均衡发展绩效进行评估时，并不排斥公众和社会的参与，而且为了保证绩效评估的科学性，应该广泛发动公众和社会积极参与，以保证更高层次的独立性、客观性和可信性。

二、绩效评估的基本原则

1. 相关性

相关性就是分析项目（或政策）的目标设计与现存的社会格局或需求是否相容或匹配，具体而言，即要分析项目（或政策）的目标设计与受益人

① 琳达·G. 莫拉·伊马斯，雷·C. 瑞斯特. 通向结果之路：有效发展评价的设计与实施[M]. 李扣庆，等译. 北京：经济科学出版社，2011：20.

（地区）的要求或需要、投资机构或部门的战略之间的一致程度。[①]就信息化支持县域义务教育优质均衡发展而言，相关性原则关注的是信息化支持县域义务教育优质均衡发展的目标与中央和省级政府的教育发展战略重点是否一致，该项目（或政策）的投入、产出与义务教育优质均衡发展的目标是否一致。

2. 效率性

效率性是对资源投入（包括资金、专业知识和时间等）转化成产出的经济性的衡量。效率性是一个比较的概念，关注的是资源投入与产出的关系。“从给定的投入得到最大的产出”或“用最小的成本来达到目标”就是效率最基本的定义。[②]就信息化支持县域义务教育优质均衡发展来说，效率性关心的是“县域教育信息化的投入是否实现了最大产出”或“县域教育信息化最小的支出成本是否实现了县域义务教育优质均衡发展”。

3. 效果性

效果性是指干预活动的目标在多大程度上实现了，或者根据其重要性预计这些目标在多大程度上可以实现。效果性表达的是投入和产出之间的关系，关心的主要问题是“情况是否得到改善”，如福利状况、使用者的满意程度等，主要衡量项目（或政策）目标的实现程度，从而告诉你工作努力的方向。就信息化支持县域义务教育优质均衡发展而言，效果性关注的是“义务教育优质均衡发展的状况是否得到改善”，如环境与资源、应用与管理、人才队伍等方面的改变程度，以及学生、教师和家长的满意程度等。

4. 可持续性

一个有效项目（或政策），不但应具有效果性，而且收益还应具有可持续性。可持续性是项目（或政策）能够长期、可持续地获取收益的可能性，或者说是项目的净收益随着时间变化的风险弹性。[③]就信息化支持县域义务

---

① 施青军. 政府绩效评价：概念、方法与结果运用[M]. 北京：北京大学出版社，2016：39.

② 施青军，阿里叶·司康德. 政府绩效评价：一种新的再认识[J]. 中国行政管理，2016(4)：23-26.

③ 张泰峰， Reader E. 公共部门绩效管理[M]. 郑州：郑州大学出版社，2004：9.

教育优质均衡发展而言，可持续性原则关注的是政府的承诺和支持、项目（或政策）资金在多大程度上还可持续？在利益相关者来源多元化的情况下，项目（或政策）是否仍有足够的利益协调能力。

三、绩效评估工作机制

1. 完善绩效评估主体

对信息化支持县域义务教育优质均衡发展的绩效进行评估，需要对参与评估的主体进行规范，以使参与评估的机构、组织和社会公众在资质、条件等方面有章可循。要依据各类社会组织、研究机构、智库的特点鼓励使用第三方评估机构，评估主体需要有教育信息化专家、教育政策专家、基层学校校长和教师代表、学生家长、县教育局相关科室负责人等。依靠第三方评估机构进行评估，既能从全局和战略的视角分析问题，也能从现实性和可操作性的角度进行评估，有助于客观、公正地开展绩效评估。

2. 健全社会公众参与机制

按照公共政策价值理论，信息化支持县域义务教育优质均衡发展是一项公共政策，社会公众作为公共政策的对象和公共服务的消费者，要明确其具备相应的知识、经验、责任和能力。在评估的过程中，要扩大社会公众的参与面，保证评估结论的客观公正，从而提高评估的质量。要根据不同的情况，将可公开的评估信息对社会公众发布，接受社会公众的监督和评议。要完善社会公众满意评估机制，突出社会公众满意导向；要充分听取和收集社会公众对信息化支持县域义务教育优质均衡发展的评价意见，并及时反馈给相关部门。

3. 完善绩效评估结果使用机制

加强对信息化支持县域义务教育优质均衡发展绩效评估结果的运用，充分发挥结果导向和刚需约束作用。建立绩效评估的内部通报制度，召集绩效聘雇责任机构、政府部门联合会议，将绩效评估分析报告以简报的形式下发各单位，以便相互借鉴、相互监督、相互促进。将绩效评估结果通过新闻媒体进行发布，增强评估结果的透明度和公信力。

4. 构建绩效评估信息平台

构建信息化支持县域义务教育优质均衡发展的绩效评估平台，建立绩效评估信息系统，归类汇集各子项目的做法和效果、问题和改进措施，并定期对信息化支持县域义务教育优质均衡发展的总体状况、实际效果和落后指标等进行跟踪分析，以为进一步完善绩效评估体系提供可靠依据。

四、绩效评估的指标体系

信息化支持县域义务教育优质均衡发展的绩效评估的指标体系由 4 个一级指标、8 个二级指标、23 个三级指标、43 个四级指标组成（表 5-9）。

表 5-9　信息化支持义务教育优质均衡发展的绩效评估的指标体系

一级指标	二级指标	三级指标	四级指标
1.相关性（20%）	1.1 项目是否符合我国当前教育发展政策（50%）	1.1.1 项目设计与国家教育政策的一致性（50%）	1.1.1.1 项目是否符合当前国家教育发展政策（100%）
		1.1.2 项目设计与地方教育发展的一致性（50%）	1.1.2.1 项目是否符合当前地方教育发展政策（100%）
	1.2 项目是否针对县域义务教育优质均衡发展的需求（50%）	1.2.1 项目设计的问题的针对性（50%）	1.2.1.1 项目设计的问题是否针对县域义务教育优质均衡发展中的实际问题（100%）
		1.2.2 项目设计与需求的契合度（50%）	1.2.2.1 项目产出是否契合当地的实际问题和需求（100%）
2.效率性（20%）	2.1 项目是否按照计划的时间周期实施并完工（20%）	2.1.1 项目开工时间与计划开工时间的相符程度（50%）	2.1.1.1 项目实际开工时间与计划开工时间之差（100%）
		2.1.2 项目完工时间与计划完工时间的相符程度（50%）	2.1.2.1 项目实际完工时间与计划完工时间之差（100%）

续表

一级指标	二级指标	三级指标	四级指标
2.效率性（20%）	2.2 项目是否按照计划的资金预算实施（30%）	2.2.1 项目的实际资金与预算资金的相符程度（33.3%）	2.2.1.1 项目实际使用资金与预算资金的一致性：项目实际使用资金/项目预算资金（100%）
		2.2.2 项目资金的到位程度（33.3%）	2.2.2.1 项目外方资金到位率：实际到位外方资金/应到位外方资金（50%）
			2.2.2.2 项目配套资金的到位率：实际到位的配套资金/应到位的配套资金（5%）
		2.2.3 项目资金使用的合法合规性（33.3%）	2.2.3.1 项目违规资金总额占项目资金总额的比重：项目违规资金/项目总资金（100%）
3.效果性（40%）	3.1 项目是否实现了预期目标（50%）	3.1.1 信息化基础设施（20%）	3.1.1.1 计算机装备（25%）
			3.1.1.2 校园网建设（25%）
			3.1.1.3 信息化教室（25%）
			3.1.1.4 设备及信息化教室利用率（25%）
		3.1.2 信息化资源建设（20%）	3.1.2.1 数字教学资源数量（25%）
			3.1.2.2 数字教育资源适切性（25%）
			3.1.2.3 数字教育资源利用率（25%）
			3.1.2.4 数字教育资源更新率（25%）
		3.1.3 信息化保障（20%）	3.1.3.1 信息化人才配备（50%）
			3.1.3.2 信息化教师培训（50%）
		3.1.4 信息化应用（20%）	3.1.4.1 信息技术课程开设（50%）
			3.1.4.2 学校办公自动化建设（50%）
		3.1.5 信息化主体发展（20%）	3.1.5.1 学生信息素养（20%）
			3.1.5.2 教师信息素养（20%）
			3.1.5.3 学生综合能力发展（20%）

续表

一级指标	二级指标	三级指标	四级指标
3.效果性（40%）	3.1 项目是否实现了预期目标（50%）	3.1.5 信息化主体发展（20%）	3.1.5.4 教师综合能力发展（20%）
			3.1.5.5 校长信息化领导力（20%）
	3.2 项目的影响（50%）	3.2.1 教育影响（30%）	3.2.1.1 校长满意度（33.3%）
			3.2.1.2 教师满意度（33.3%）
			3.2.1.3 学生满意度（33.3%）
		3.2.2 社会影响（30%）	3.2.2.1 社区满意度（50%）
			3.2.2.2 家长满意度（50%）
		3.2.3 项目受益全体的瞄准度（40%）	3.2.3.1 项目受益群体符合度：教师和学生受益人数/教师和学生总数（33.3%）
			3.2.3.2 教师和学生参与度：参与的教师和学生数/教师和学生总数（33.3%）
			3.2.3.3 教师和学生满意度：教师和学生满意度百分比（33.3%）
4.可持续性（20%）	4.1 项目能否持续运行（50%）	4.1.1 项目机构的可持续性（33.3%）	4.1.1.1 负责项目完工后管理工作的机构存在与否（100%）
		4.1.2 项目人力资源的可持续性（33.3%）	4.1.2.1 负责项目完工后管理工作的人员存在与否（100%）
		4.1.3 项目经费的可持续性（33.3%）	4.1.3.1 用于项目完工后管理工作的经费充足与否（100%）
	4.2 项目的产出能否得到持续维护和利用（50%）	4.2.1 项目产出是否得到有效利用（33.3%）	4.2.1.1 教育信息化设备的正常使用率（50%）
			4.2.1.2 项目设计是否达到设计生产能力（50%）
		4.2.2 项目产出是否得到及时维护（33.3%）	4.2.2.1 教育信息化设备维护率（100%）
		4.2.3 项目安全是否有保障（33.3%）	4.2.3.1 教育信息化安全制度存在与否（50%）
			4.2.3.2 教育信息化安全制度与措施的完善程度（50%）

注：各项指标后括注的是权重

第六节 信息化支持县域义务教育均衡发展的保障机制

信息化支持县域义务教育优质均衡发展的保障机制主要涉及组织保障、制度保障、财力保障、评价保障和监督保障等方面，每个方面具有不同的涵盖面和侧重点，各司其职，各负其责。

一、组织保障

建立以各级政府教育主管领导为组长，教育、编办、发展改革、财政等部门共同参与的薄弱学校教师队伍建设领导小组。

加强对教育信息化工作的组织和领导。建立健全县委县政府领导下的教育信息化管理职能部门；在各级各类学校设立信息技术主管；全面统筹协调教育信息化工作，明确职责，理顺关系；完善技术支持机构，推进相关机构的分工与整合。

明确推进教育信息化工作的责任。县教育局是教育信息化工作的责任主体，负责全县教育信息化工作的统筹推进，乡镇教育行政部门和各级各类学校是教育信息化的实施主体。

二、制度保障

破除教师队伍建设的体制障碍，建立城乡一体化的教师队伍建设体制机制，使城乡教师编制一体化。编制管理是保证教育质量、合理配置教师资源的基本管理制度。在当前农村生源下降比较快、成班率比较低的背景下，在编制管理方面需要解放思想、实事求是、改革创新，按照“总量控制、统筹城乡、结构调整、有增有减”的原则，探索更加科学合理的编制管理办法。

例如，可以将生师比与班师比结合起来统筹安排；建立不合格教师退出机制，打破教师资格终身制；优秀教师的流失往往使农村学校在教师队伍建设、教学质量提高等方面处于较困难的状态，因此，有必要根据市场经济的原则，建立专门针对农村学校的教师流失补偿制度。制定推动教育信息化优先发展的配套政策措施；协调落实好各级各类学校、师生和相关教育机构在网络接入等方面的资费优惠政策。加快推进教育信息化规章制度的建设进程。将教育信息化列为政府教育督导内容，将教育技术能力纳入教师资格认证与考核体系，完善教育信息化相关部门技术人员的编制管理与职称（职务）评聘办法。制定扶持教育信息化产业发展的政策，鼓励企业参与教育信息化建设，以税收优惠等调控手段，培育教育信息化产业体系，加快形成良性竞争的教育信息化产业发展环境。

三、财力保障

加大对薄弱学校教师队伍建设的专项经费投入，并增强资金的使用效益，避免有限资金的不必要浪费。

1. 建立经费投入保障机制

制定促进教育信息化建设和提高运行维护保障经费标准等政策措施，加大对教育信息化的经费支持力度，尤其是农村和偏远地区，以保障满足教育信息化发展需求。

2. 鼓励多方投入

明确政府在教育信息化经费投入中的主体作用，鼓励企业和社会力量投资，并参与教育信息化建设与服务，形成多渠道筹集教育信息化经费的投入保障机制。

3. 加强项目与资金管理

统筹安排教育信息化经费使用，根据各地教育信息化发展阶段特征，及时调整经费支出重点，合理分配硬件、软件、资源、应用、运行维护、培训等各环节的经费使用比例。加强项目管理和经费监管，规范项目建设。对教育信息化经费投入绩效进行评估，从而促进经费使用效率的提高。

四、评价保障

制定教育信息化评价标准与方法，建立教育信息化评价制度，通过专家评估、同行评议和第三方评估等方式，定期对教育信息化相关的基础设施、资源建设、教育教学实践与应用、教学管理与评价、人才队伍建设等进行评估与总结。将教师教育信息化工作量作为工资计算依据，以提升教师参与教育信息化建设的积极性。通过评选教育信息化应用创新优秀案例、先进单位和先进个人，激励各级教育行政机构、各类学校和广大师生积极开展教育教学应用探索。通过设立专项教研项目，激励各级教育管理者、广大师生开展教学、教研活动，推进教育信息化持续发展。

五、监督保障

将教育信息化列为各级学校年度考核指标，从而督促各级学校认真做好信息化应用工作的安排实施、检查评比、结果运用等过程管理工作。

设置教育信息化成果奖，对教育信息化建设和应用成果进行奖励。积极开展基础教育教学成果评选、中小学新课程资源应用与学科整合展示交流、中小学生电脑制作等形式多样、内容丰富的教学应用活动，全面落实“面向学生、走进课堂、用于教学”的信息化工作要求，帮助教师优化教学过程，提高学生学习兴趣，鼓励学生利用信息手段主动学习、自主学习，增强学生运用信息技术分析解决问题的能力，促进学生素质全面发展，努力把师生应用水平提高到一个新阶段，真正发挥信息化建设在提升教育教学质量中的巨大作用。

第七节　县域薄弱学校教师信息化教学素养结构模型

教师信息化教学素养（能力）建设标准是中小学教学人员、中小学管理人员、中小学技术支持人员教育技术培训与考核的基本依据。国外相关的框架（模型、标准）主要有 TPACK（Technological Pedagogical Content Knowledge，整合技术的学科教学知识）、联合国教科文组织的《教师信息与通信技术能力框架》（Information Communication Technology Competency Framework for Teachers，ICT-CFT 框架），国内的主要是教育部办公厅发布的《中小学教师信息技术应用能力标准（执行）》。研究团队对这些标准和模型进行深入分析，结合在全国各地的调研，制订出符合我国县域薄弱学校教师信息化教学素养结构模型，以为开展有针对性的教师培训提供依据。

一、模型提出依据

1. 教师信息化教学能力（素养）的权威标准（框架）

TPACK 是美国学者科勒（Koehler）和米什拉（Mishra）于 2005 年提出的，自此，国内外学者对 TPACK 展开了大量的理论和实践研究。目前，TPACK 是世界公认度非常高的教师信息化教学能力（素养）框架，即 TPACK 是未来教师必备的能力。TPACK 框架包含三个核心要素，即学科内容知识、教学法知识和技术知识；四个复合要素，即学科教学知识、整合技术的学科内容知识、整合技术的教学法知识、整合技术的学科教学知识。

2007 年，联合国教科文组织与思科、英特尔和微软等跨国公司以及美国的国际教育技术协会（International Society for Technology in Education，ISTE）合作，开展了“面向下一代的教师计划”（The Next Generation of

Teachers Project）。[1]2008 年 1 月，在伦敦召开的青年人才交流会上，联合国教科文组织向 100 多个国家的教育部部长和媒体发布了 ICT-CFT 框架[2]，后于 2011 年修订（图 5-6）。

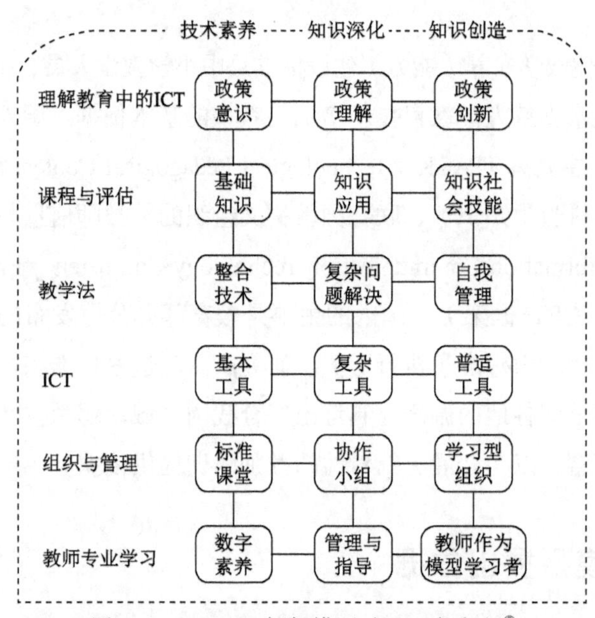

图 5-6　ICT-CFT 框架模型（2011 年版）[3]

为贯彻党的十八届三中全会精神，落实教育规划纲要，构建教师队伍建设标准体系，全面提升中小学教师信息技术应用能力，促进信息技术与教育教学深度融合，2014 年教育部研究制定了《中小学教师信息技术应用能力标准（试行）》。这一标准是在 2004 年《中小学教师教育技术能力标准（试行）》的基础上，结合我国基础教育中小学信息技术能力现状修订的，其主要内容如表 5-10 所示。

① 傅钢善，葛文双. 中外面向教师的国家 ICT 标准的比较研究[J]. 现代教育技术，2008，18(12)：22-26.

② UNESCO. UNESCO ICT Competency Standards for Teachers [EB/OL]. http://cst.unesco-ci.org/sites/projects/cst/default.aspx, 2013-04-14/2022-09-04.

③ 张莉琴，王萌萌. ICT-CFT 框架下的职教师资信息技术应用能力课程体系建构[J]. 职教论坛，2016(23)：51-54.

表 5-10　《中小学教师教育技术能力标准（试行）》（2014 年）主要内容

维度	应用信息技术优化课堂教学	应用信息技术转变学习方式
技术素养	理解信息技术对改进课堂教学的作用，具有主动运用信息技术优化课堂教学的意识	了解信息时代对人才培养的新要求，具有主动探索和运用信息技术变革学生学习方式的意识
	了解多媒体教学环境的类型与功能，熟练操作常用设备	掌握互联网、移动设备及其他新技术的常用操作，了解其对教育教学的支持作用
	了解与教学相关的通用软件及学科软件的功能及特点，并能熟练应用	探索使用支持学生自主、合作、探究学习的网络教学平台等技术资源
	通过多种途径获取数字教育资源，掌握加工、制作和管理数字教育资源的工具与方法	利用技术手段整合多方资源，实现学校、家庭、社会相连接，拓展学生的学习空间
	具备信息道德与信息安全意识，能够以身示范	帮助学生树立信息道德与信息安全意识，培养学生良好行为习惯
计划与准备	依据课程标准、学习目标、学生特征和技术条件，选择适当的教学方法，找准运用信息技术解决教学问题的契合点	依据课程标准、学习目标、学生特征和技术条件，选择适当的教学方法，确定运用信息技术培养学生综合能力的契合点
	设计有效实现学习目标的信息化教学过程	设计有助于学生进行自主、合作、探究学习的信息化教学过程与学习活动
	根据教学需要，合理选择与使用技术资源	合理选择与使用技术资源，为学生提供丰富的学习机会和个性化的学习体验
	加工制作有效支持课堂教学的数字教育资源	设计学习指导策略与方法，促进学生的合作、交流、探索、反思与创造
	确保相关设备与技术资源在课堂教学环境中正常使用	确保学生便捷、安全地访问网络和利用资源
	预见信息技术应用过程中可能出现的问题，制订应对方案	预见学生在信息化环境中进行自主、合作、探究学习可能遇到的问题，制订应对方案
组织与管理	利用技术支持，改进教学方式，有效实施课堂教学	利用技术支持，转变学习方式，有效开展学生自主、合作、探究学习
	让每个学生平等地接触技术资源，激发学生学习兴趣，保持学生学习注意力	让学生在集体、小组和个别学习中平等获得技术资源和参与学习活动的机会
	在信息化教学过程中，观察和收集学生的课堂反馈，对教学行为进行有效调整	有效使用技术工具收集学生学习反馈，对学习活动进行及时指导和适当干预
	灵活处置课堂教学中因技术故障引发的意外状况	灵活处置学生在信息化环境中开展学习活动发生的意外状况
	鼓励学生参与教学过程，引导学生提升技术素养并发挥其技术优势	支持学生积极探索使用新的技术资源，创造性地开展学习活动

续表

维度	应用信息技术优化课堂教学	应用信息技术转变学习方式
评估与诊断	根据学习目标科学设计并实施信息化教学评价方案	根据学习目标科学设计并实施信息化教学评价方案，并合理选取或加工利用评价工具
	尝试利用技术工具收集学生学习过程信息，并能整理与分析，发现教学问题，提出针对性的改进措施	综合利用技术手段进行学情分析，为促进学生的个性化学习提供依据
	尝试利用技术工具开展测验、练习等工作，提高评价工作效率	引导学生利用评价工具开展自评与互评，做好过程性和终结性评价
	尝试建立学生学习电子档案，为学生综合素质评价提供支持	利用技术手段持续收集学生学习过程及结果的关键信息，建立学生学习电子档案，为学生综合素质评价提供支持
学习与发展	理解信息技术对教师专业发展的作用，具备主动运用信息技术促进自我反思与发展的意识	
	利用教师网络研修社区，积极参与技术支持的专业发展活动，养成网络学习的习惯，不断提升教育教学能力	
	利用信息技术与专家和同行建立并保持业务联系，依托学习共同体，促进自身专业成长	
	掌握专业发展所需的技术手段和方法，提升信息技术环境下的自主学习能力	
	有效参与信息技术支持下的校本研修，实现学用结合	

2. 学术界提出来的框架模型

学术界对教师信息化教学能力模型研究得并不多，研究团队搜索到的主要有赵呈领等提出的职业院校教师信息化教学能力结构模型（图 5-7）。[①]在该模型中，教师信息化教学能力的主要内容包括意识与责任、基础与技能、应用与实践、设计与开发、研究与创新。该模型的适用对象为职业院校教师，能力结构上偏向应用、实践、设计与开发，这是与职业院校教师职业特征相一致的。另外，还有黄睿航提出的教师信息化教学能力的“钻石”模型（图 5-8）。[②]该模型以 TPACK 结构为基础，提出教师信息化教学能力包括信息技术能力、信息化教学能力、信息化教学理念、信息技术与课程融合能力、教学法能力、信息化教学形态等方面的内容，且各内容之间相互交叉，相互影响。

① 赵呈领，陈智慧，邢楠，等. 职业院校教师信息化教学能力现状调查分析与模型建构的启示[J]. 工业和信息化教育，2015(8)：8-14.

② 黄睿航. TPACK 框架下教师信息化教学能力模型[J]. 高教学刊，2016(14)：202-203.

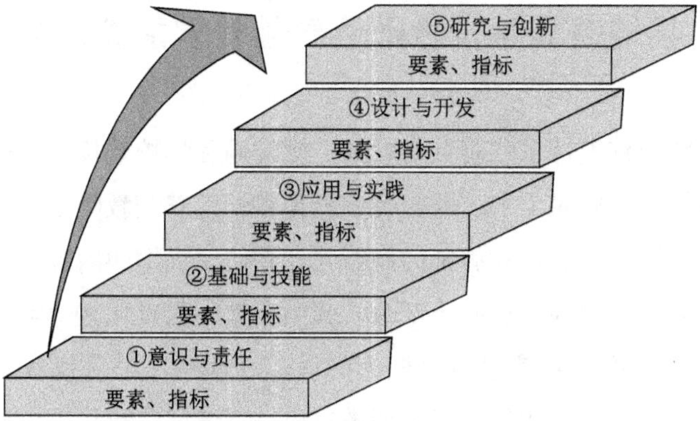

⑤研究与创新
要素、指标
④设计与开发
要素、指标
③应用与实践
要素、指标
②基础与技能
要素、指标
①意识与责任
要素、指标

图 5-7　职业院校教师信息化教学能力结构模型

信息化教学能力
信息技术能力
信息化教学理念
教学资源
混合学习
教学学习活动
信息化教学形态
学习
技术
教学法能力
信息技术与课程
融合能力

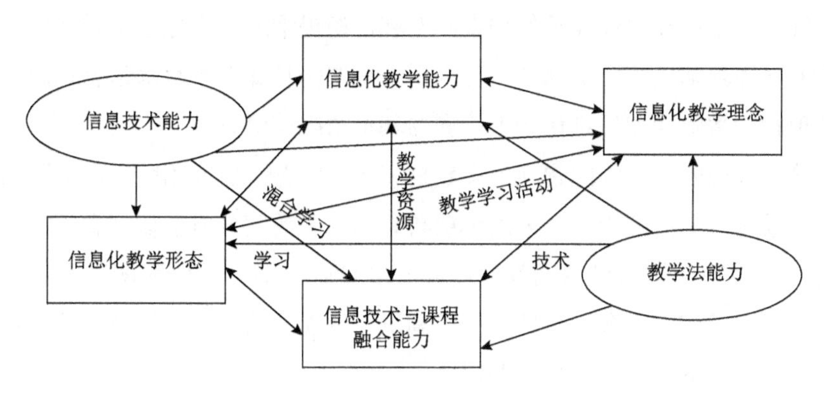

图 5-8　教师信息化教学能力的“钻石”模型

从权威标准（框架）和学术界提出的模型看，这些模型均强调，教师要在掌握信息技术基本概念和技能操作的基础上，在教学中深度应用信息技术，以此来提高教学质量，这对教师的要求是比较高的。然而，县域薄弱学校教师在信息技术认知、基本的信息技术操作方面较薄弱，要达到这些模型的要求是非常困难的。研究团队认为，薄弱学校教师的信息化教学素养结构模型应该具有较强的针对性，因此，研究团队基于调研结果，分析了我国农村地区教师信息化教学素养的状况及原因，有针对性地提出了县域薄弱学校教师信息化教学素养结构模型。

二、县域薄弱学校教师信息化教学素养的简况

研究团队分别设计了三套针对教师、教育局和学校校长的调查问卷及访谈提纲（附录 A—附录 C），就教师信息化教学素养和教师信息技术能力培训的情况进行了调查。针对教师的调查问卷和访谈提纲的内容主要包括教师信息化教学素养和教师培训两个部分。其中，教师信息化教学素养部分主要从信息意识和态度、对信息技术概念的认知和理解、信息技术基本操作技能、信息技术的教学应用等方面对调查对象进行考察。教师培训部分则包括教师参加信息技术能力培训的基本情况、对信息技术能力培训的看法等内容。针对教育局和学校校长的调查问卷和访谈提纲的内容也包括教师信息化教学素养和教师培训两个部分，分别用于获取全县和全校教师信息化教学素养的现状、教师参加信息化能力培训的基本情况等信息。

鉴于调查问卷中的问题绝大多数是事实性问题，研究团队采用重测信度法对问卷进行了信度检验，采用单项与总和相关效度分析法对问卷的内容效度进行了检验，结果显示问卷信度和效度良好。随后，研究团队对位于吉林、四川、云南的十余个县域进行了调研，发现县域薄弱学校教师的信息化教学素养在如下几个方面具有普遍性。

第一，观念陈旧、认知不足、意识不强。调查发现，县域薄弱学校教师尤其是教学点的教师对信息技术的认知停留在比较浅的层面，学习和应用信息技术的意识不强，在社会经济发展相对滞后的西部山区更是如此。薄弱学校教师普遍认为教育信息化即连接互联网、在教育管理和教学中使用计算机，并没有意识到信息化对教育的变革作用，也没有认识到应该如何具体开展教育信息化建设。第二，欠缺信息技术相关知识和技能，将信息技术应用于教学的能力不足。县域薄弱学校尤其是教学点的教师能够使用计算机等信息化设备的比例并不高，少数会操作计算机的教师也仅限于利用计算机上网，在教学中的应用并不多。即使在教学中有应用，也限于展示教学信息，即仍然以传统的讲授—接受式教学方式为主，计算机等信息化设备对教育教

学的促进作用并不明显。

以武定县为例，近年来，武定县在教育信息化建设方面相继投入 5000 万，用于：铺设网络；为学校配置多媒体计算机、教学一体机、电子白板等教学设备；安装校园监控系统；为中心校配置 LED 显示屏。薄弱学校尤其是农村偏远山区的教学点的教育信息化条件大为改善，但教育信息化建设的效果并未凸显出来。农村薄弱学校教师在信息技术知识和能力方面仍然存在问题，主要原因在于：一是小学教师无暇顾及信息技术技能和知识的学习。农村薄弱学校的教师数量不足，且存在结构性缺编现象，教学点“一师一班”的现象仍较突出，教师的绝大部分精力用于辅导学生的学习和照顾他们的生活，无暇顾及信息技术知识和能力的提高。而初中教师因为升学压力等，也难以顾及信息技术知识和能力的提高。二是教师信息技术能力培训效果不佳。培训形式以集中讲授和演示为主，教师的实操机会不多，培训与实践相脱节，教师在实际应用信息技术时难以获得即时指导。三是教师信息技术能力集中培训以骨干教师为主，绝大多数教师接受的培训以在线培训为主，但教师本身信息技术能力不足，加上时间无法保障，培训效果不佳。

三、模型结构主要指标和说明

在系统考察国内外权威标准（模型）和学术界提出的相关模型的基础上，研究团队结合我国县域薄弱学校教师的信息化教学素养的情况，提出了县域薄弱学校教师信息化教学素养结构模型（表 5-11）。

1. 观念和意识

观念是指教师对信息化教学素养的认知及看法，也就是他们是如何看待信息技术、信息化教学，以及信息技术对教育教学的作用的。意识是指教师是否有意识地主动学习信息技术并将之应用于教育教学，是否有提高自身信息技术知识水平和技能的愿望。因此，研究团队将此指标划分为重要性认知、学习意识、应用意识 3 个二级指标。

表 5-11 县域薄弱学校教师信息化教学素养结构模型

一级指标	二级指标
观念和意识	重要性认识
	学习意识
	应用意识
知识与技能	信息化教学基本概念
	信息化教学相关理论
	信息技术基本操作
	教学常用工具的操作
	教学资源设计与开发
教学应用	教学信息展示
	信息技术与教学深度融合
	创造性应用
评价与反思	评价
	反思
	创新

2. 知识与技能

知识与技能指的是教师对信息技术相关知识和技术的掌握程度。从某种意义上讲，知识与技能并不能严格区分开，因为要掌握技能必须建立在掌握一定概念型知识、理论型知识的基础上，而技能本身也包括程序型知识和过程型知识。因此，研究团队将此指标划分为信息化教学基本概念、信息化教学相关理论、信息技术基本操作、教学常用工具的操作、教学资源设计与开发 5 个二级指标。

3. 教学应用

信息技术的教学应用按照应用程度可以分为两个层次：浅层应用和深层应用。浅层应用指在不改变教学结构和教学模式的情况下，运用信息技术改善教学效果，如教师在教学过程中运用信息技术展示教学信息。在这种应用中，信息技术发挥的作用是比较小的，传统的教师、教材、学生的教学结构，以及以教师为中心的教学模式并没有得到根本性改变。深层应用是指信息技术与教学的深度融合，如运用信息技术改变传统的教学结构或教学模式。以下两种情形即属于此种应用：通过网络将异地课堂连接起来的同步课堂，变传统的教师、教材、学生的教学结构为“本地课堂+异地课堂”的教学结构；采用基于项目的教学模式、基于网络探究的教学模式、翻转课堂教学模式等以信息技术为基础的现代化教学模式来改变传统的讲授—接受式教学模式。这些模式突出以学生为中心，强调利用信息技术提升学习效率，帮助学生开展主动式学习。因此，研究团队将此指标划分为教学信息展示、信息技术与教学深度融合、创造性应用 3 个二级指标。

4. 评价与反思

评价与反思即指教师能够对自己的信息化知识和技能、信息技术教学应用情况等进行评价，并能够对教学效果、存在的问题进行反思，在可能的情况下还能够进行创新。因此，研究团队将此指标划分为评价、反思、创新 3 个二级指标。

第八节　县域薄弱学校教师信息化教学能力培训体系

一、培训体系的主要结构

培训体系即为实现一定的培训目标，对培训三要素（讲师、学员、教材）进行合理、有计划、有系统的安排而形成的完整系统，通常包括培训课程体系、培训讲师管理制度、培训效果评估和培训管理体系等部分。[1]研究团队依据此定义，对培训体系的各组成要素进行了分析，概括出培训体系的

① 王印久. 浅析培训体系认识中的误区[J]. 人才资源开发，2006(1)：67.

结构包括如下几个组成部分：全面了解培训条件及需求、体制机制、培训目标、培训策略、培训对象、培训方式、培训内容、培训考核（图 5-9）。全面了解培训条件及需求是开展培训的前提和基础，只有对培训对象所在地区的实际情况及培训需求进行深入的了解，才能够建立符合当地特色与实情的培训体制机制，制定适合的培训方案。体制机制是指培训相关的管理制度，包括培训组织管理、讲师管理、激励机制等。培训目标、培训策略、培训对象、培训方式、培训内容、培训考核等则是具体培训方案的组成部分。

图 5-9　县域薄弱学校教师信息化教学能力培训体系结构

二、两套体系区分的主要依据

在确定好培训体系结构的基础上，研究团队依据实验县不同的情况，设计出了两套教师信息化教学能力培训体系。区分两套体系的主要依据是该县域的地位特征，即城乡地理位置的远近，也即农村学校与县城、城镇学校的距离远近。体系Ⅰ适用于城乡地理位置相距较近的地区，体系Ⅱ适用于城乡地理位置较远的地区。城乡地理位置相距较近便于组织集中培训和全员教师培训，且与城镇相距较近的农村教师一般来说在教育信息化建设和师资信息化能力与素养方面与城镇教师比较接近。城乡地理位置相距较远的地区则相反，教师培训难以采用集中培训的方式，也难以组织全员教师培训，偏远地区的薄弱学校尤其是教学点的教育信息化建设和教师信息化能力与素养和城区教师相比，则存在一定差距。

三、培训体系的主要内容

体系Ⅰ适用于城乡地理位置相近、社会经济发展相对发达、教师素质相对较高的地区，体系Ⅱ则相反，适用于城乡地理位置相距较远、社会经济发展相对较差、教师素质不高的地区。为适应这些差异，满足不同地区的具体需求，体系Ⅰ和体系Ⅱ在培训目标、培训对象、培训考核等方面存在区别，但在培训内容、培训策略、培训方式上相同（表5-12）。

表5-12　县域薄弱学校教师信息化能力培训体系Ⅰ和Ⅱ主要内容对比

项目	体系Ⅰ	体系Ⅱ
适用地区	城乡地理位置相距较近、社会经济发展相对发达、教师素质相对较高的地区	城乡地理位置相距较远、社会经济发展相对较差、教师素质不高的地区
案例地区	咸安区、崇阳县、恩施市、麻城市、牟定县	长白县、通山县、来凤县、武定县、富宁县
培训目标	思想观念：认识到信息技术对教育教学的作用 知识技能：掌握基本的概念和常用的信息技术操作 教学应用：掌握信息技术的浅层应用，在可能的情况下掌握深层教学应用 评价反思：能对信息技术的应用进行评价和反思	思想观念：认识到信息技术对教育教学的作用 知识技能：掌握基本的概念和常用的信息技术操作 教学应用：掌握信息技术的浅层教学应用 评价反思：能对信息技术的应用进行评价和反思
培训策略	理论与实践相结合、培训学习与工作实践相结合、线上学习与线下指导相结合、集中培训与校本培训相结合	
培训方式	骨干或全员教师参加的集中培训+校本培训+网络研修+培训共同体	
培训对象	校长+全员教师	校长+骨干教师
培训内容	信息技术对教育的变革作用理论、信息技术基本知识和技能、信息技术教学基本应用、信息化教学模式	
培训考核	线上考核+随机课堂听课的现场考核	现场抽查考核

第六章　信息化助力县域义务教育均衡发展的案例[①]

第一节　县 域 案 例

以下所选案例县域均与本研究团队有合作，部分还完全采纳了前述信息化助力县域义务教育优质均衡发展的解决方案。这些县域大部分位于我国中西部地区，义务教育发展存在城乡差距、校际差距，为此，当地教育部门采取了各种措施推进义务教育均衡发展。其中，信息技术手段尤其受到重视，并且在推进义务教育均衡发展中发挥了重要作用。

本章所选的案例县域中，湖北的咸宁市咸安区、崇阳县及吉林的长白县主要针对教学点开不齐、开不好国家规定的音乐、美术等课程，采取了双轨制数字学校模式开展教育信息化建设，通过同步课堂，教学点学生享受到了优质教育资源，从而实现了教学质量提升的目的。重庆的彭水苗族土家族自治县（简称彭水县）则采用城乡互助双师模式，利用 MOOC 开展双师教学，提升农村薄弱学校的教育质量。云南的牟定县采取综合型的方案开展教

① 无特殊说明，本章涉及的数据由案例地区教育局、学校提供，或者来自研究团队的问卷调查，调研数据的截止时间为 2019 年年底。

育信息化实践，并将农村薄弱学校的发展放在重要位置，通过加强教师的信息技术能力培训和信息技术应用锻炼，来提升这些学校的整体教育质量。湖北宜昌市的伍家岗区则通过信息技术的应用提高教学质量，并通过促进教师专业发展，来提高农村薄弱学校的教育质量。四川冕宁县则通过加强教育信息化基础设施建设、推进信息技术教学应用等手段，来提升县域内教育信息化的整体水平，进而促进县域义务教育均衡发展。

一、湖北咸宁市咸安区

（一）咸安区解决教学点问题的教育信息化实践

2014 年 6 月，咸安区与本研究团队签署战略合作协议，旨在共同探索用信息化手段解决农村教学点师资短缺，开不齐课、开不好课的问题。具体而言，咸安区的教育信息化实践可以概括为“一体”“双核”“三牵手”“四驱动”。

1.“一体”：咸安数字学校

咸安区成立由区教育局局长担任校长的咸安数字学校，设置理事会、咨询委员会等组织，理事会负责全局统筹和组织，咨询委员会负责提供学术和实践指导。校长下设教务管理办公室、教学管理办公室、师资培训办公室等行政组织（图 6-1）。校长和各办公室负责对若干个教学单元的教学工作进行管理，提供教学服务，每个教学单元由 1 个中心校和 2—3 个教学点组成。中心校的美术、音乐、英语等课程会通过网络直播到教学点，教学点教师负责组织学生通过网络学习。咸安数字学校制订了《咸安数字学校建设方案》，对数字学校的组织、运作和工作职责进行了详细说明，部署咸安数字学校平台，并对教师进行技术培训，组织教师通过平台开展教学。

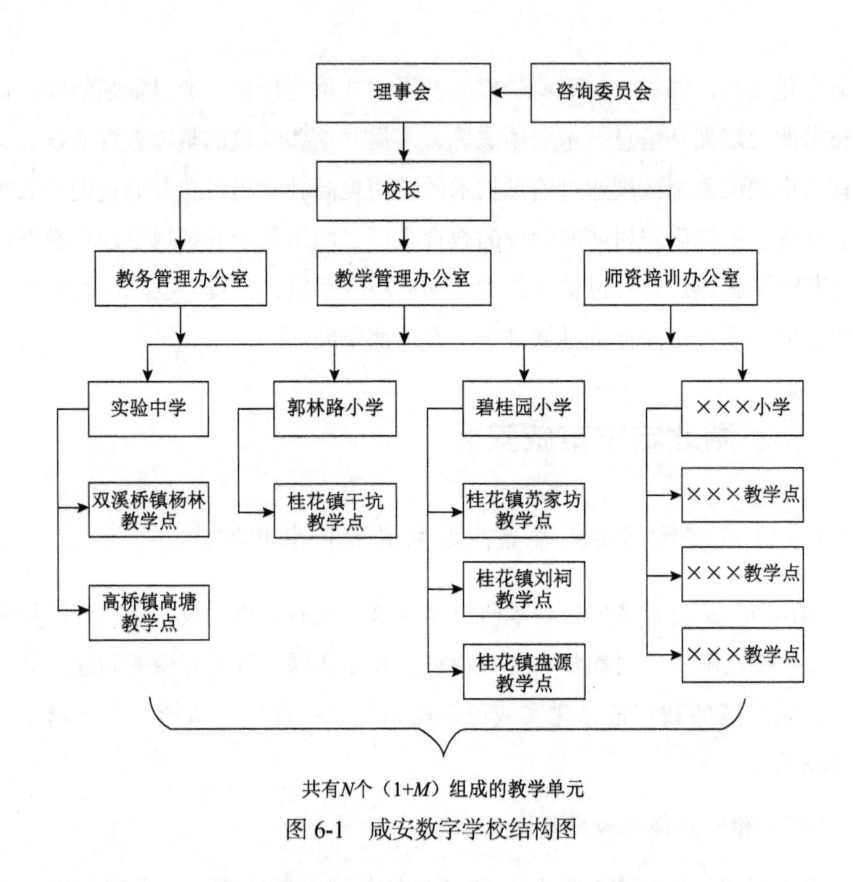

图 6-1 咸安数字学校结构图

2. “双核”：协同与创新

以“政府主导、高校合作、市场动作、学校参与”的协同机制和“体制机制、应用创新”的创新机制两个核心为突破点，依托信息技术手段，共享优质资源，促进区域义务教育高位均衡发展。咸安区政府签署战略合作协议等方式，争取到华中师范大学、湖北大学、咸宁学院（现湖北科技学院）等多所高校的智力支持，并引入多家企业提供设备、技术与网络支持，做好了县域推进信息化的顶层设计和全区中小学的教育信息化推进工作。

3. “三牵手”：城乡教师牵手、城乡学伴牵手、留守儿童与父母牵手

咸安数字学校定期组织中心校教师和教学点学生开展活动，让孩子与平时只能通过网络见到的老师和学伴实际见面。老师之间交流教学心得，共同

提高；孩子结成伙伴，共同成长。为帮助留守儿童健康成长，数字学校在每个教学点均建立了亲情聊天室，让留守儿童通过网络定期与远在他乡的父母交流，以得到父母的关爱和呵护，同时让父母看到孩子的变化和成长。

4. “四驱动”：课程建设、全员教师培训、数字教师培养与学生成长观察

建设本地化数字教育资源，通过外部资源与自主开发资源的结合，助力课程建设。开展培训，提高教师及管理者的信息化意识与信息化能力，特别是培养专职的数字教师。对中心校和教学点的学生进行跟踪观测，开展量化和质性研究，检测信息化对学生发展的影响。在此基础上，调整和完善实施方案。

（二）咸安数字学校实践的效果

经过四年的实践探索，咸安数字学校取得了初步成效。例如，参与试点的实验区农村教学点开不齐课的问题得到彻底解决，开不好课的问题也有了明显改善；学生逐渐回流；教师的信息化能力与教学水平得到显著提升。为了解技术干预在农村教学点学生层面的具体实践效果，研究团队基于学生发展的视角，对参加咸安数字学校的学生进行了观测与评价。

1. 研究过程概述

研究在定性和定量相结合的混合式研究方法的基础上，综合采用多种研究工具、数据收集方法和数据分析方法开展。研究对象就是咸安区参与项目的中心校与教学点。调研过程主要分为两大阶段，第一阶段主要是编制和修订实验区学生发展评价工具，第二阶段是运用修订的测量工具采集数据并进行分析。

具体步骤包括。第一，通过针对教师、家长、学生等的访谈、开放式问卷调研、深度访谈等，了解技术促进学生发展变化的具体方面，形成学生评价工具的初步维度结构。第二，采用德尔菲法确定评价工具的构成维度及具体指标，在此基础上形成问卷初稿，并通过访谈等进行修改、调整。第

三，随机选取由一所中心校和两个教学点的学生开展问卷预测试，删除鉴别力低及与总分相关不显著的题项。第四，随机抽取实验区 2 所中心校和 9 所教学点的学生开展第二轮测试。对修订的问卷进行因素分析，检验各量表结构的合理性及问卷的信效度，确定其在被试群体中的适切性，确定最终问卷。第五，正式施测，按照分层抽样的方式选取 3 所中心校及所属的教学点（2 所已参与实验的中心校，1 所即将参与实验的中心校），对中心校学生采取班级整群抽样，而对 23 个已参与实验和未参与实验的教学点一至三年级学生采取整体抽样的方式发放问卷。共回收问卷 865 份，其中有效问卷 770 份，有效率为 89.02%。

2. 研究结论

对收集到的问卷数据进行预处理和分析后，针对咸安数字学校对学生发展效果的调研得出如下结论：技术干预对农村教学点学生的学习方式、学习态度、核心自我评价、学校满意度、积极情绪能力、人际交往能力和兴趣特长发展方面产生了显著的积极影响，但教学点学生在学业成绩、人际交往能力、日常行为、兴趣特长发展方面仍与城区中心校学生之间存在差距。

研究团队还发现由中心校和教学点组成的教学共同体在实际应用信息技术的过程中存在一些问题：第一，部分教学共同体的同步互动课堂存在互动不足的问题，导致教学点学生对教学内容的理解仍存在一定困难；第二，部分年纪较大的教师对信息技术的接受能力较弱，仍偏向于使用传统教学模式，对优质数字资源的应用不足，与中心校教师的配合也较为吃力，影响了学生的知识学习；第三，激励和约束机制的缺乏，使得中心校和教学点教师的应用动力不足，影响了整个项目的有效开展。

为此，教育主管部门和学校应当加强对教师的全员培训，提升其信息意识、信息技能、信息化教学设计、同步互动课堂管理等，使教师能够根据具体授课对象有针对性地进行基于信息化的教学设计，加强教学互动和配合，将技术更好地应用于教学。另外，教育主管部门和学校应当加紧建立相应的激励和约束机制，以提升教师参与项目的积极性和责任感。

二、湖北崇阳县

（一）崇阳县基本情况

崇阳县位于湖北省南端，居湘、鄂、赣三省交界处，为武汉城市圈组成部分。2017 年，全县有各级各类学校 171 所，其中高中 3 所，职校 1 所，初中 11 所，小学 122 所（辖 30 个教学点），特殊学校 1 所，另有公办幼儿园 33 所；全县在校学生 80 836 人，其中，高中生 14 366 人，初中生 13 535 人，小学生 38 577 人，特殊学校学生 36 人，入园幼儿 14 322 人。全县中小学（含幼儿园）教职工 3800 人，其中在编教师 3567 人，非在编教师 233 人。

由于一些历史原因和现实因素，崇阳县农村义务教育学校的现状与孩子们想上好学的要求还有一定的距离，主要表现为以下两个方面。

第一，师资配置不够完善，断层现象较严重。农村义务教育学校教师特别是小学教师的年龄老化现象比较严重。崇阳县通过面向社会公开招聘优秀教师，引进了一批年轻的师范院校毕业生来补充教师队伍，但由于全县农村教师的基数比较大，农村义务教育学校教师年龄老化问题仍然比较突出，50 岁以上的教师占比达 33.98%。此外，教师的学科结构也不够合理，紧缺“小科”教师，尤其是音体美教师，达不到农村学校开齐课程和开足课程的基本要求。到 2017 年，仍有教学点实行包班教学，难以保证教学质量的稳步提升。在教学点教师学历方面，中专以下学历占比达 38.83%。

第二，基础设施不健全，设备较陈旧。依照教育部颁布的义务教育课程标准，如《义务教育语文课程标准（2011 年版）》《义务教育数学课程标准（2011 年版）》等，为了开齐、开足、开好课程，除了需要科学合理地配置教师队伍外，还应该有配套的运动场地和美术、音乐等教学设备。但是，崇阳县除了城区有部分学校配套了相应的基础设施和教学设备外，农村的中小学基本上没有配备这些基础设施和教学设备。比如，农村学校没有配备标准化的运动场地和乒乓球台、单双杠等运动设施；城区中小学基本上没有配备功能较全的图书室，农村大部分学校连图书角也没有；农村学校基本上没有化学、物理和生物实验室，学生也甚少见到教学实验仪器。

（二）崇阳县教育信息化建设和应用的基本情况

2008年，崇阳县根据国家和湖北省相关文件，开始寻找促进义务教育均衡发展的新思路，以优化农村中小学整体布局，均衡配置教育资源，创新农村中小学管理体制，最大限度地缩小城乡校际差距，逐步形成了富有崇阳县山区特色的农村联校一体化教育模式。所谓农村联校一体化，就是以乡镇中心完小或其他相对优质完小为核心，与周边若干学校和教学点联合办学，建立以中心校校长为法人代表的学校联合体。由县教育局对学校联合体的教学资源、师资配置、生源、财务预算等实行统一管理和监测。这一模式有力地促进农村各学校和教学点最大限度地开齐、开足课程，以使有限的教育资源得到有效利用。

2014年，崇阳县投入380万元开始实施“联校网教”。2016年，投资680万为全县中小学接入宽带，并对信息化基础设施进行升级改造，淘汰了一批老旧设备。2017年，完成了全县35所学校的网络带宽升级，投入20万元在大集中学、实验小学建成2间录播教室，崇阳第一中学、崇阳第三小学、崇阳实验第二小学、崇阳大集镇中学三分校、崇阳县实验小学等学校实现100 M光纤进教室；17所中小学开通“微校”，全面推进“学乐云”教学平台的应用，实现了学校管理和教育教学的信息化。崇阳县分两期投入600余万元，着力在县实验小学创建“联校网教”中心并建成11间主讲教室，在师资缺乏的薄弱农村教学点建成34间听课教室，构建起“11+34”专递课堂，在大集中学、天城中学高枧分校、大集中学金塘分校建成“2+2”同步课堂。教学点联上了网，优质教育资源就可以“一步直达”。为了集中优质师资，崇阳县在全县共选择8名优秀的音乐、美术、英语教师集中授课，并借助互联网将其授课视频传递至6个乡镇的22个教学点，这些教学点总共有780余名学生。

（三）成果与成效

“联校网教”用8名教师解决了近800名学生的师资需求，为农村教学点开齐了国家规定的音乐、美术和英语课程，提升了教育教学质量。

第一，基本实现了师资均衡配置、镇村优质师资共享。崇阳县的联校一体化为城乡师资均衡发展探索出了一个新模式。通过对现有人力、财力、物力及教学管理等方面的统筹，中小学改革取得了明显成效，最大限度地解决了同一乡镇区域内各学校和教学点、教学部之间的资源配置问题，使有限的教育资源得到较合理、有效的利用，在一定程度上促进了崇阳县义务教育的公平、公正发展。2009 年，崇阳县教育局面向社会公开招聘了 50 名优秀的小学教师，并在县职教中心开办了小规模的小学师资班，同时与湖北科技学院签订了义务教育交流合作协议，与华中师范大学签约了 100 名专业的学科优秀资教生[①]，彻底改变了过去崇阳县农村教学点、教学部学生没上过英语、美术、音乐等课程的状况，使各学校学生享受到平等的教育，深受广大学生家长和社会的好评。

第二，创新了教师管理机制，优化了教育人员结构。以前，崇阳县农村中小学教师的老龄化现象很严重，用孩子们的话说，就是大多数老师是爷爷奶奶辈的和伯伯辈的，与老师之间有代沟，学校也缺乏活力。在推行农村联校一体化之后，农村中小学不仅引进了一批年轻、富有活力的优秀高校毕业生，还在崇阳县城区学校选拔了部分年轻骨干教师当学科带头人。同时崇阳县教育局对区域内的中小学教师统一实行星级管理机制，将绩效工资和评优评先与评星晋级挂钩，对长期在农村艰苦边远地区教学点工作的教师，在职称、福利和社会保障等方面实行倾斜政策。这种新的教师管理机制，不仅优化了城乡教师的人员结构，而且极大地调动了广大教师的积极性，增强了教师的使命感和责任感，从而形成了良好的教学氛围。

第三，改善了办学条件，全面提高了教学质量。崇阳县在实施农村联校一体化之后，通过筹措资金，为全县义务教育学校集中采购了一批课桌和凳子，使得崇阳县义务教育阶段学生基本上告别了带课桌、凳子上学的历史。同时，为农村所有的义务教育学校统一配备了音乐、体育、美术等课程的教

① 资教生，是湖北教师队伍中出现的一个新称谓。湖北从 2004 年开始实施“农村教师资助行动计划”，一批“资教生”应运而生。每年都有一批应届本科毕业生被选派到农村乡镇中学任教。

学设备。为全面提高区域内义务教育学校的教学质量，崇阳县教育局通过与华中师范大学合作，引入了数字化学习设备，实现了远程授课、实时交互，改善了农村学校的办学条件，从而提升了农村义务教育的教学质量。

第四，同步课堂帮助教学点开齐了国家规定的课程，有力地促进了学生发展。有研究表明，崇阳县同步课堂的应用，一是增长了学生的知识与技能，开阔了学生的视野。[①]通过同步课堂，学生音乐、美术等艺术方面的知识与技能均得到增强。有教学点老师这样告诉研究团队："音乐课上，二年级同学能随着熟悉的歌曲或乐曲哼唱，或在体态上作出反应；三年级的学生会带着欢快的情绪演唱歌曲，能准确地表现歌曲中的情绪。美术课上，二年级的学生能掌握一些基本的绘画知识和技能；三年级的学生动手能力较强，普遍提高了对美的感受能力，形成了健康的审美情趣。"二是提高了学生的学习兴趣，且有助于他们对其他学科的学习。学生在语文、数学等其他学科的课上也变得更加积极主动了，这些变化源于学生已经形成了积极回答问题、主动完成作业的习惯，学生在音乐、美术课上喜欢与主讲教师互动，喜欢主动举手回答教师提出的问题，这让他们形成了与教师互动的习惯。美术课每周布置一次作业，主讲教师会在下次课中点评学生的作品。主讲教师会示意学生举起自己的作业，对完成情况较好的学生进行点评，并给予每位学生鼓励和表扬，学生希望与主讲教师亲密接触，喜欢获得老师的表扬。所以，他们会积极完成美术教师布置的作业，这些习惯有助于他们对其他学科的学习。[②]

第五，发挥了主讲教师的价值，促进了其专业发展。崇阳县专递课堂的主讲教师都是从各个乡镇选拔出来的优秀教师，在开设同步课堂之前，这些教师在学校不仅要教授音乐和美术课程，还要教授其他科目的课程，以及负责学校的活动安排等。面对专业价值和个人价值得不到充分体现的问题，这些教师的价值感和归属感降低。同步课堂的开设给这些教师带来了机会，他

① 田曼曼. 同步互动专递课堂应用实践研究——以崇阳县为例[D]. 华中师范大学，2018.

② 田曼曼. 同步互动专递课堂应用实践研究——以崇阳县为例[D]. 华中师范大学，2018.

们在网教中心给全县的农村教学点学生上课，可以全身心地投入专业教学中。工作得到了支持和认可，个人价值得到了体现。同时，主讲教师各自所在的教研组，也是与同行交流的平台，有助于教师相互学习、相互促进，共同发展和提高。①

第六，丰富了辅助教师的音乐、美术知识，提升了辅助教师的能力。辅助教师是同步课堂的组织者和管理者，也是听课者。辅助教师在听课过程中会认真写听课记录，与学生同时上课同时下课，经过 2—3 年的学习，部分辅助教师也学到了很多专业的音乐、美术知识，如简谱、绘画知识，有的教师能够通过谱子唱歌。辅助教师认为，掌握这些专业知识是有必要的，有利于课后辅导学生完成作业，还可以培养自己的兴趣和爱好。②

“联校网教”的实施给农村薄弱学校注入了生机和活力，孩子们的眼睛亮了，歌声响了，家长的赞誉多了，回流的学生也越来越多。2017 年 9 月 18 日，《中国教育报》头版头条报道了崇阳县教育信息化的实施情况和取得的效果。

三、湖北宜昌市伍家岗区

（一）伍家岗区教育基本情况

伍家岗区是比较典型的中西部地级市中的城区，特点是城镇学校和与农村学校之间存在发展差异。第一，办学条件。农村学校教师的临时性住房和集体宿舍严重短缺，学生食宿条件较差，农村学校的信息化建设水平较低。第二，教师队伍。①师资分布不均。农村教师相对短缺，而城镇学校中的高职称、高学历教师的数量普遍高于农村学校。县区级的教学能手、教学新秀、优秀教师、优秀班主任、学科带头人、骨干教师绝大多数在城镇学校工作。②教师逆向流动现象突出。一些乡村教师虽然在乡镇教书，但在城区购

---

① 田曼曼. 同步互动专递课堂应用实践研究——以崇阳县为例[D]. 华中师范大学，2018.

② 田曼曼. 同步互动专递课堂应用实践研究——以崇阳县为例[D]. 华中师范大学，2018.

房，导致生活不方便且增加了交通费支出，因此，这部分教师向城区学校流动的意愿较强烈。③农村教师结构性缺编严重。信息技术、英语、音乐、美术、科学、心理健康等课程教师的缺编现象比较严重。第三，学校校长素质。“一个好校长就是一所好学校。”多数城镇学校校长的办学理念较新，视野开阔，整体素质和管理水平较高。相比之下，乡村中小学校长在学历层次、知识素养和管理水平等方面逊色一些。城乡学校校长素质的差异，直接影响城乡学校管理水平和办学质量。第四，学校生源数量和质量。城区学校生源众多尤其是优秀生源充足，由此出现的问题是班额过大，择校压力大；而大部分农村学校面临的是学生数量不断萎缩、生源普遍不足的困境。

（二）伍家岗区教育信息化建设和应用的基本情况

“十二五”期间，伍家岗区在教育信息化基础设施建设、教育信息化体制建设、信息化教育应用等方面开展了一系列工作。第一，初步建立了比较完善的信息化基础设施体系。①全区所有学校都接入了互联网，60%以上学校的网络带宽达到 10 M 以上，城区教育城域网于 2013 年 12 月正式开通；②生机比达到 9∶1，师机比达到 1∶1，交互式电子白板、触控一体机等多媒体教学设备的班级覆盖率达到 98%以上；③录播教室、数字实验室等逐步建立和完善。第二，应用了宜昌教育公共服务平台和各类业务应用系统。从 2010 年起，市政府投入专项资金先后开发了宜昌教育公共服务平台一期项目（教师、学生、学校三大数据库）和二期项目（智慧校园管理与应用系统）；市教育局开发了教育督导评估、综合素质评价等诸多业务应用系统。目前，这些业务系统已经在伍家岗区得到全面应用。第三，开展了信息化环境下的教育教学应用和教育管理活动。各校在“一师一优课、一课一名师”活动、课程改革创新、教育教学研修、师生网络学习、学生课业减负、划片招生入学等教育工作中积极应用信息技术手段，探索利用信息技术提升教育教学质量，涌现了一批利用信息技术解决教育发展问题、提高教育质量的应用典型。第四，探索并创立了教育信息化工作机制。市县两级都成立了教育信息化推进办公室，多方协同的工作机制初步建立；区内落实了以政府投入为主的经费保障机制；成功探索了政府主导、企业参与、学校使用、购买服务的建设机制；启动了专项督导、绩效考核的评价机制，为全区教育信息化的健康发展提供了保障。

“十三五”期间，伍家岗区在已有基础上参与了宜昌市主导的基础设施完善工程、宜昌教育云应用工程和智慧教育示范工程建设，进一步提升了全区的教育信息化水平。第一，基础设施完善工程。全面建成宜昌教育城域网，互联网出口宽带市级不低于 3000 M、县市区不低于 1000 M，完成城域网市县互联；宽带接入实现千兆到校园、百兆到桌面，达到国家标准，城区学校普及无线网络。各类信息化终端设备齐全，师机比为 1∶1，生机比为 8∶1，大力推进移动终端、云桌面等新型设施进校园，构建区域、学校的网络和信息化安全体系。第二，宜昌教育云应用工程。全面建成具有教育资源、教育管理、智慧城市公共服务功能的综合平台——宜昌教育云；学校接入率、数据录入率、空间开通率达到 100%；数字资源丰富多样，电子备课、白板教学、网络研修成为常态；管理系统功能强大、治理能力大幅提升；全面对接智慧城市，有效服务教育民生。第三，智慧教育示范工程。全区建设了不少于 5 所智慧校园，成为智慧教育示范区。依据国家标准，制定智慧校园建设指南，依据区域教育现代化建设方案和智慧城市建设方案制定智慧教育示范区建设指南，配合做好全市区域教育现代化创建活动。

（三）成果与成效

伍家岗区教育信息化建设的持续推进，对于改善城乡教育的不均衡状态起到了一定的积极作用。第一，促进了农村地区教师的专业发展。包括农村地区学校在内的区内各校教师的教育信息化技能和应用水平大幅提升，有力地促进了其专业素质的提高。绝大部分教师能娴熟地使用教学一体机等辅助教学，利用各类 APP 带领学生进行自主学习。第二，提升了行政信息化管理水平。区内学校先后成为湖北省教育科学“十二五”规划重点课题“长江教育社区（多多社区）的建设与应用”实验学校、伍家岗区平板电脑实验班研究学校、国家级课题“专题学习微课设计及应用研究”子课题实验学校。

第三，学生泛在学习形成趋势。包括农村学校学生在内的全区学生利用移动终端自主学习的机制初步建立，学生泛在学习形成趋势。

四、吉林长白县

（一）长白县教育信息化建设和应用的基本情况

第一，借助高校资源制定长白县的教育信息化发展战略规划。2016 年 12 月初，长白县教育局在上级部门的大力支持和推介下，邀请本研究团队，利用两天时间对长白县县城及周边的学校进行细致摸底，从与师生的交谈中研判学校发展的实际需求，以一个旁观者的视角对问题进行剖析。2017 年 2 月，研究团队在一个星期内 6 易其稿，完成《长白县教育信息化发展规划》的撰写工作。县政府对该规划相当重视，先在 6 月以红头文件形式下发此规划，后又联合多局共同成立信息化建设领导小组和办公室，用实际行动表达了县政府对本地教育信息化发展的期待。

第二，进一步细化实施细节。在《长白县教育信息化发展规划》的基础上提炼出“三六九”方案，即“依托三朵云，建立六联体，开展九行动”。“三朵云”包括：国家资源云，针对不同层次教育资源进行“一账通”式整合；长白德育云，围绕学校“立德树人”的首要任务进行信息整合应用；数字学校云，利用网络空间成立网上学校，围绕“实时课堂”促进校际交流。“六联体”包括 UGBS（university，大学；government，政府，business，商业机构；school，学校）共同体、学科教研共同体、家校德育共同体、城乡学生心连心共同体、城乡学校教学互助共同体、长白 K-12 资源建设与应用共同体。“九行动”包括长白校长信息化领导力提升行动、长白教师全员数字化教学能力提升行动、长白数字学校同步互动课堂创建与推进行动、长白校园德育与文化创建行动、长白城乡学生牵手行动、长白名师工作坊与数字化课程建设行动、长白县一乡一村一校教育精准扶贫行动、长白民族双语教学质量提升行动、长白青少年数字化阅读行动。

第三，大力推进教育信息化硬件环境建设。2014—2016 年，长白县先后投入 600 万元配备了 300 套电子白板，班级配备率达到 100%；投入 299 万元为每所义务教育学校建成标准化计算机教室，配备学生用计算机 958 台（生机比为 12.7）、配备教师用计算机 246 台（师机比为 19.5）。2017 年开始，在原有的基础上，又投入 130 万元强化硬件建设支撑，为所有班级配备多媒体电子班牌系统 200 套，为部分学校更新电子白板 40 套。2018 年开始，政府每年投入 33 万元用于学校接入互联网，接入率达 100%，出口带宽均达到 100 M。2017 年 9—11 月，教育局和学校将教育信息化建设落实到每位师生身上，形成信息化氛围；为能够实现与省内名校的资源共享，教育局将东北师范大学中小学课堂教学资源库、师资培训等软件系统和网上阅卷系统及 2015 年全县统一开通的 26 个教育系统单位网站链接到国家资源云平台上，供全县中小学使用；利用公共教育资源平台和电子班牌系统，开发德育教育活动空间，形成具有地域特色的长白德育云；利用吉林省专递课堂应用管理系统，通过教育内网实现了城乡同步互动课堂。

第四，推进教育信息化在教育教学中的深度应用。建立教育信息中心，由专人具体负责全县教师能力提升及教育信息化的推进工作。同时加强吉林省中小学教师研修网和省教育社区空间等资源平台的推广使用，教师开通网络空间率为 75.1%，在平台上开展经常性的“大学区”和名师工作坊等社区教研活动的教师达 946 人，占教师总数的 75.3%。开展“六联体”建设和“九行动”活动。按照《长白县教育信息化发展规划》中的目标，从合作、建设、培训、应用四大方面进行通盘运作。一是激发本地企业“兄弟情”。与吉视传媒股份有限公司合作，为全县中小学铺设千兆进校园、百兆进班级的教育专网，为县城内的 5 所学校分别建设了一间录播教室，由此，“长白数字学校”为偏远地域教学点输送“专递课堂”“点播课堂”“互动课堂”的目标得以实现；与联通公司合作，开设带宽百兆进校园、10 兆进班级的外网，实现校园双网全覆盖，让泛在学习成为现实。二是维系外地企业“友情”。与沈阳东泰科技有限公司合作，为长白义务教育学校提供电子班牌及教育资源系统，让山区的孩子也能感受到城里学生的校园生活，并逐步通过此平台，实现教育资源的可视化式即时分享；与武汉天喻软件有限公司合作，为长白教育搭建数字化平台，与国家和省市教育平台同步，以避免平台重复建设，既能够及时了解和享用大平台的丰厚资源，又能够创建和开发自己的空间，实现教育资源的有效整合。

另外，长白县教育局不忘激发基层内驱力，鼓励学校自力更生，自主筹措经费。一是自筹自建，教育局技术装备中心为学校升级了电子白板，为部分学校更换成了触摸式电子屏幕。十四道沟镇中心小学为每个学习小组配备了一台平板电脑；实验小学为上课教师配备了微课制作手写板；马鹿沟镇中学为班级安装了远程观课系统和微课制作教室；长白县第一中学在图书馆内安装了电子触摸屏、电子班牌。可以说，全县各校都在为推动教育信息化建设而竭尽全力。二是全员学习，转变观念。教师队伍思想观念的高度决定了工作落实的深度，长白县教育局准确把握时代脉搏，重视学习国家领导人关于信息化建设的讲话，以及教育技术学方面的知识，以此来激发教师的认同感。三是教育局将选派校长、主任、骨干教师外出学习与鼓励学校开展校本培训相结合，力求做到“学以致用，落地开花”。2017 年春季开学以来，该县受训教师总人数达到 1446 人次，其中参加信息化培训的教师有 263 人次，且每位参培教师都能够在校内形成以点带面的新技术能力传递，为《长白县教育信息化发展规划》的落实提供了有力的技术支撑。

（二）成果与成效

长白县大力实施的“三六九”方案立足“学生乐于学习、教师轻松从教”的理念，各校以极大的热情投入到信息化技术的学习、建设中，全力推进教育均衡发展，助推“立德树人”目标的实现。县内多所学校根据自身特色，开发了基于信息技术的校本课程。例如，长白山第一高级中学倡导纸质阅读和电子阅读相结合，旨在把学校办成“一座坐落在图书馆里的学校”。校长以身作则，每日撰写 1500 字以上的文章，带领师生通过纸质书籍和电子书籍相结合的方式开展形式多样的阅读活动。再如，龙岗乡教师利用手机为“候鸟式学生”制作和发送微课，南尖头、虎洞沟、西岗参场等教学点为每个班制作了电子班牌。教师主动学习的意识提升了，课堂上学生和教师同台展示成为一种常态，师师间、师生间的友情随着网络会话的增多而增强。教师可以通过网络领略名师教学的风采，学生也可以通过网络学习所需知识，甚至一些学生能够运用自身掌握的信息技术制作微课、二维码等。信息技术的使用丰富了学生的学习方式，增加了课堂的趣味性，学生爱学、乐学，成绩稳步提升，遏制住了学生外流的势头。

五、重庆彭水县

（一）彭水县基本情况

彭水县位于重庆市东南部，地处武陵山区，地貌以谷地、坡麓、岩溶洼地及小型山间盆地为主，苗族、土家族等少数民族人口占全部人口的53%，曾是重庆市 14 个国家级贫困县之一，属于典型的老、少、穷县。截至 2018 年底，全县有各类中小学 167 所，其中村小（含教学点）58 所；共有学生 95 623 人，教师 6458 人。师资问题是阻碍彭水县教育质量提升的关键，全县 6000 余名教师中有 1000 多人是民办教师转岗而来，因为编制问题，教师老龄化问题比较突出，有的学校十几年没有进一个新教师。农村薄弱学校和教学点开不齐课、开不好课问题突出。据县教育局提供的资料，2015—2016 学年，58 个村小和教学点中，完全开齐国家规定的美术、音乐、体育课程的有 32 个，占总数的 55.17%，其余的村小和教学点均开不齐这些课程。

（二）彭水县教育信息化建设和应用的基本情况

2016 年 9 月，彭水县开始进行小范围的双师教学实验。具体措施有：第一，建立双师教学资源库。采用在线网络传输、移动存储设备传输、送货上门等多种方式向参与实验的学校输送资源，并组织全体教师培训。开展双师教学推广工作，包括增加试点学校，送更多的教师到人大附中进行培训。第二，开展“三送活动”，即送资源、送培训、送示范。第三，开展双师教学竞赛活动，对表现优异者给予奖励，以带动双师教学模式的推广。利用“教学点数字教育资源全覆盖”项目在村小大面积推广双师模式。第四，本地教师录制资源，开展双师教学试点。借鉴人大附中的做法，森林希望小学自主开展双师教学试点，将音乐课和美术课录制成视频，免费提供给太原中心校、羊头铺小学作为教学素材。

（三）成果与成效

经过一年的实验，彭水县的双师教学取得了显著效果。研究团队对彭水县参与试点的学校进行了调查，得出如下结论。

第一，有效地缓解了乡村学校专职教师短缺的问题，帮助薄弱学校开齐了音乐、美术等国家规定课程。[①]本地教师利用优秀教师录制的教学视频上课，提高了课堂教学质量。此外，在开展双师教学的过程中，本地教师也在不断地学习优秀教师的教学理念，模仿他们的教学方法，活用他们的教学设计，长此以往，乡村非专业教师也能够掌握专业课程的教学方法，进而独立上好课。教学点的李校长谈道：“在学生跟着视频老师学习的同时，老师自己也在学习。美术课上，哪些工具怎么用，哪些图形怎么画，现在都已经掌握，基本能够胜任这些课程的教学了。”由此可见，在双师教学的影响下，非专职教师正逐渐向专职教师转变，不仅打破了乡村学校专职教师匮乏的局面，还有效地解决了部分课程开不齐、开不好的问题。

第二，为教师之间相互学习、相互借鉴、相互交流等创造了条件，众多教师受益匪浅，专业素养和教学能力均得到持续提高。城市优秀教师具有先进的教学理念、娴熟的教学技巧，在教学内容的安排以及处理教学过程中的突发情况等方面具有丰富的经验。乡村教师跟着优秀教师学习，可以弥补自身教学技能的不足，提高专业素养，逐步缩小与优秀教师的差距。研究团队通过和开展双师教学的多位老师访谈，发现几乎所有的老师都对双师教学反馈较好，表示提高了他们的教学技能，开阔了他们的视野。例如，和平小学

① 韩荣荣. 信息化助力县域内义务教育均衡发展：“双师教学”模式实践[D]. 华中师范大学，2018.

的吴老师，每天通过人大附中教师录制的视频上英语课，她的英语水平和教学能力得到持续提升。只有 6 名老师、5 个年级、6 个班的大坝村小学，地处大山深处，交通极其不便，60 余名学生大多是留守儿童，6 名老师也非英语和艺术专业出身，开设英语、美术、音乐课程有困难。实行双师教学后，大坝村小学的这些课程都开设起来了，教师水平和教学质量稳步上升。实验中学的何老师在实行双师教学一年后，其所带班级的数学平均成绩提高了 20 多分。

此外，双师教学对乡村教师信息技术能力的提升也有帮助。在双师教学中，无论是资源下载还是资源的整合与编辑，均需借助信息技术完成。经过长期的实践，乡村教师不仅养成了应用信息技术解决问题的意识与态度，而且有效地提升了信息技术能力。由此可见，双师教学在提升乡村教师学科素养、促进教师专业发展方面是真实有效的。

第三，实现优质教育资源城乡共享，促进教育均衡发展。本地学校利用人大附中优秀教师授课资源上课，提高了学生学习的积极性，激发了学生学习的内驱力，学生成长得很快。学生每天跟着视频老师学习，也会看到视频中城市学生的表现，无形中对他们产生一定的影响，慢慢地，他们也开始模仿视频中的学生，对老师提问的响应更加积极了，彼此也愿意分享观点了。有研究者对彭水县的双师教学进行了调查，发现双师教学促进了乡村学生全方位的发展，包括增强了学生的学习兴趣，提高了学生的学业成绩，激发了学生的自我表现意识。①

六、云南牟定县

（一）牟定县教育信息化建设和应用的基本情况

2015 年起，牟定县加大了对基础教育的投入，并从如下几个方面推进了教育信息化建设。第一，健全机构，加强领导。为加快推进教育信息化建设工作，成立了以县人民政府分管副县长为组长、相关部门负责人为成员的

① 韩荣荣. 信息化助力县域内义务教育均衡发展：“双师教学”模式实践[D]. 华中师范大学，2018.

教育信息化建设领导小组，下设筹资、技术、商务 3 个工作小组，各负其责，明确分工，具体负责全县教育信息化建设相关业务工作。第二，明确目标，实现共享。2015 年底，全县基础教育阶段学校完成教育信息化“三通两平台”的建设任务，建立了州、县、学校交互共享资源的服务体系，实现了中小学教师教育技术能力培训全覆盖，中小学全面开设信息技术课的目标。第三，摸清底数，科学规划。按照“一次规划、适度超前、满足需要”和“缺什么，补什么”的原则，县教育局对城区、坝区、山区中小学的设施设备情况进行了调研，对相关数据进行了反复测算，做到了数据准确，以为规划提供科学依据。经多次论证，结合州教育信息化领导小组要求，决定建设多媒体设备、计算机设备、录播室设备、校园网、校园监控等项目。第四，积极筹资，确保建设。采用多渠道筹资开展教育信息化建设，通过融资方式，州、县、学校分级负责承担，分期逐步偿还，确保建设任务如期完成。2015—2019 年，牟定县每年投入 265 万元用于信息化建设，共计 1325 万元。按照“州事州办、县事县办、校事校办”的原则，分级负责教育信息化建设项目，多媒体设备、学生计算机教室、教师备课笔记本电脑、录播教室由县教育局统一招标采购。校园网络、数字校园监控、数字校园广播由学校按照州教育局标准及政府采购的审批手续自行完成建设任务。

（二）成果与成效

经过几年的努力，牟定县义务教育的发展呈现出喜人的面貌。主要体现在如下几个方面。

第一，城乡差距缩小了。通过加大资金投入，提升乡村学校基础设施建设水平，加强信息技术课堂教学应用，缩小了城乡教育差距。第二，教育科研实力增强了。组织教科研队伍、骨干教师等将信息化环境下的教学、教研、管理活动创新作为课改的重要内容，开展信息化教学新模式、新方法的研究与应用。第三，促进了信息技术与教学的深度融合。积极探索信息技术的有效应用，不断改进教学，提升教育质量。切实以“一师一优课、一课一名师”活动为抓手，充分利用数字教育资源开展信息化教学，并在教学过程中发现、汇聚、形成优质数字教育资源。针对教师能力水平差异和个性化需求，设置分层级的立体式培训内容体系。创新培训方式，重视学用结合，开展以教学实践能力为导向的教师培训。鼓励具备信息化条件的优质学校，大胆创新，形成了可推广的教育教学模式和案例，真正发挥了标杆引领作用。第四，制度完善了，加强了精细化管理。教育信息化基础设施建设完成后，进一步加强了对所配设备的管理与维护，加强了精细化管理；开展教师各类操作使用技能培训，进一步完善了教育信息化应用考核制度、长效督导机制和评价奖励机制，为教育现代化奠定了坚实基础。

七、四川冕宁县

（一）冕宁县采用信息化手段促进义务教育均衡发展的措施

冕宁县教育信息化建设以现状为基础，结合区域特点及愿景，因地制宜，追求实效，采取了多项措施，提高了教育信息化建设水平。

第一，完善网络硬件基础设施。为支撑区域教育信息化应用发展需求，根据国家“三通两平台”的建设要求，冕宁县在已有基础上加强了宽带网络校校通、优质资源班班通建设，构建了区域教育城域网和区域数据中心。

第二，建设基础支撑平台。为确保不同平台、不同应用之间的数据统一性、账户统一性，避免由于分散建设形成新的信息孤岛，冕宁县采取了如下措施：①建立统一的数据中心（基础数据平台），实现区域教育基础数据统一存储、管理，避免数据的重复建设、维护。②统一身份认证平台，实现用户账户的统一化建设，打破传统的不同平台、不同入口、不同账户的应用局限性。③统一工作流引擎，为区域教育信息化的应用提供自定义工作流设置功能，满足用户办公流程多样化、个性化需求。④建立数据交换中心，由此，不同平台之间可以以最简便的方式实现数据交换和共享，从而实现数据互通，同时各平台之间保持独立运行，互不影响，某一业务系统故障不会造成对其他系统的影响。⑤配备数据集成接口配置（开发）工具，用于实现不同平台之间的接口配置、开发，从技术、工具上保障多系统建设的集成问题。

第三，建设终端设备。各学校用户信息化应用终端工具主要为个人电脑、班班通设备等，部分应用涉及手机端，未有效利用用户日常工作、生活场景中的其他信息化终端工具。为此，冕宁县为学校、教师等用户打造了一套完整的应用体系，实现了各终端全覆盖，并保证了各终端应用、数据的统一性。只要有网络，用户可以利用身边的任意信息化终端工具，时时处处进行教学、学习等活动。

第四，推进信息技术教学应用。为解决信息技术应用不足、不同学校应用建设和推广存在差异、发展不均衡等问题，冕宁县采取了以下一系列措施：①标准化应用建设与推广。建设全县统一的区域智慧校园云平台，满足学校管理、服务、学习的基础应用需求；建设冕宁县教育局管理平台，满足教育管理职能机构的基本管理需求；建设冕宁县统一的区域资源公共服务平台，满足冕宁县教师教学和学生学习的资源需求。②提炼经验并进行推广。总结分析冕宁县走在信息化发展前列的个别学校的建设情况，提炼出一些优秀的、可复制的深度业务经验，向其他学校进行推广。

（二）成果与成效

根据研究团队于 2019 年 5 月对冕宁县的调研，教育信息化在促进冕宁县义务教育均衡发展方面发挥了重要作用。按照我国对教育信息化建设的阶段划分，教育信息化 1.0 阶段包括四个子阶段：以计算机辅助教学为起点的萌芽阶段、以多媒体教学为主的建设发展期、以基础设施建设为中心的应用推进期、以融合创新为目标的全新战略机遇期。[①]从调研情况分析，冕宁县整体处于第二个子阶段，之所以这样说，是基于以下几点考虑。第一，冕宁县基本实现了互联网和教室多媒体设备全覆盖。研究团队走访的学校基本都

① 杨宗凯，吴砥. 信息技术推动教育创新发展[J]. 中国教育科学，2014(2)：56-91，233.

实现了互联网全覆盖，包括教学点在内的所有学校的教室基本都配置了多媒体设备。在冕宁县民族中学、冕宁县彝海乡勒帕小学等多个学校进行了网络测速。根据测速结果基本可以判断，教室终端的网络带宽为 50 M。根据调查结果，冕宁县在 2012 年对全县学校进行了一次以电子白板为主的基础设施建设投入，基本满足了学校日常教学使用多媒体设备的需求。第二，教师虽然存在应用短板，但基本具备多媒体教学能力。一是教师培训工作扎实。根据问卷调查和访谈结果，教师普遍在每个学年都有 1—2 次机会参与县教师培训中心、凉山州及华中师范大学组织的各类培训。访谈中大部分教师均表示，经过冕宁县教师培训中心组织的培训考核，信息技术能力有一定提升。根据 TPACK 教师专业发展框架设计的调查问卷，较之其他维度得分，抽样教师在技术知识维度得分最低，均值为 3.6，技术与教学法融合维度得分均值为 3.8，技术、教学法与学科内容融合维度得分均值为 3.9。这说明教师通过多轮的培训和实践，基本具备了信息技术知识与课堂教学进行融合应用的基本能力，但是对技术的深度应用还存在一定困难。访谈中，大部分教师也表示，技术应用是其进行教学创新的一个障碍，对于电子白板等硬件设施的深度应用存在困难，教学应用过程中的个性化疑问难以得到及时解答，要靠自己长时间的摸索，一些问题到最后不了了之。二是信息化资源较为丰富。访谈中多位教师均表示，国家基础教育公共资源平台、凉山州提供的学乐云、学校购买和自主开发的资源及一些开放资源，能覆盖全学科、全学段，非常丰富。这与问卷调查结果反映出的教师可用信息化资源较为丰富（均值为 3.3）结果一致。但另一方面，教师也表示缺乏适用于本地学生生活情景、认知水平和语言习惯的资源，平台上的资源大部分需要经过教师的二次加工才能呈现给学生。由于教师的资源开发能力有限，所能提供的资源量非常有限。问卷调查的结果也显示，学生可用的信息化资源丰富程度得分均值为 2.59，属于较为缺乏的范畴。

第三，学生对信息技术兴趣和态度表现出积极的一面。在信息化教学方面，81.6%的学生认为教师使用信息化设备授课能提起自己的学习兴趣，在这一点上城镇中心校的学生和农村中心校的学生没有显著差异；80%的学生认为老师使用课件对提高自己的学习成绩有帮助，且农村中心校学生比城镇中心校学生更加认可这一点。在学生对信息化教学的态度方面，两类学校学生的态度比较均衡，不存在显著差异。具体而言，59.5%的学生喜欢使用学习平台或软件进行学习；54.6%的学生能比较熟练地使用学习平台或软件，28.6%的学生则不确定；83.8%的学生认为信息化教学方式引入课堂后能够使自己学到更多的知识，79.5%的学生认为信息化教学方式引入课堂后自己的注意力更集中了；72.4%的学生认为学校的信息化设备需要经常更新与维护；83.2%的学生喜欢更多、更好、更新的设备与资源。

第二节　学 校 案 例

以下所选三所学校均来自上述案例地区，在办学条件和办学质量上与区域内优质学校存在一定的差距。近年来，这些学校通过推进教育信息化建设和教学应用，实现了质量提升，缩小了与其他学校的差距。

一、湖北咸安区刘祠教学点[①]

刘祠教学点位于湖北省咸宁市咸安区桂花镇偏远山区的一个山坳上，从市区出发开车要走 1 个多小时的山路才能到达。进行教育信息化建设之前，刘祠教学点只有两名临近退休的老教师，师资力量严重不足，学生的成绩也较差。2013 年以前，该校一年级学生的数学平均分只有 31 分，在镇里所有学校中排名倒数。学生人数也呈减少趋势，到 2013 年 6 月，仅剩下 8 名学生，随时有可能因招不到学生而停学。

2013 年 9 月，刘祠村村民向当地政府和教育局提出增加教师的请求，政

① 无特殊说明，该部分涉及的数据来自研究团队对该教学点的调研，数据截止时间为 2017 年年底。

府向刘祠教学点增派了数名教师，帮助该教学点开设了语文、数学、英语、音乐、体育和美术课程。但几位教师中并没有音乐和美术专业的，所以这两门课程的开设情况不理想，教学质量与城区学校存在差距。音乐课上，教师用手机播放歌曲，学生跟着唱；美术课上，学生照着讲台上的物品画，或者照着卡通图片描。同年，刘祠教学点作为咸安区第一批教育信息化改造教学点，在信息化建设和应用方面发生了翻天覆地的变化。

第一，学校的信息化基础设施得到了改善，每位教师都配备了一台笔记本电脑，每间教室都安装了电子白板，其中一间教室被改造成了同步课堂教室，安装了摄像头和麦克风。学校加入咸安数字学校，与城区中心校及另外2 所镇教学点组成学校共同体，音乐课和美术课实现了同步课堂授课，即中心校的音乐和美术教师的授课现场被同步到了这 3 个教学点。第二，刘祠教学点的音乐、美术课程教学有了根本性的改观。孩子们对唱歌和绘画更有兴趣了，这两方面的能力也得到明显提高。校园里和通往学校的路上有了更多的歌声，黑板报也是孩子们自己设计绘画的。不仅如此，通过同步课堂，孩子们认识了很多其他学校的新朋友和老师，在课堂上变得更加活跃，开始敢于回答老师的问题并且时常进行小组表演。第三，教师的教学从备课到教学形式和内容，都发生了巨大变化。通过咸安数字学校这个平台，教师实现了网络备课，同时获得了大量丰富自己教学内容的教学资源和教学课件。最重要的是，他们感觉自己不再是在教学点孤军奋战，而是可以通过平台融入区域教研共同体的大环境中，极大地提高了教学效率。通过几年的不断努力，刘祠教学点的教学质量不断提高，实现了质的飞跃。基于学生成绩好转，学校条件和校园环境逐渐变好，生源开始大幅回升。

二、吉林长白县马鹿沟镇中学[①]

马鹿沟镇中学位于景色秀丽的长白山南麓，鸭绿江源头第一镇——马鹿

① 无特殊说明，该部分涉及的数据来自研究团队对该教学点的调研，数据截止时间为 2016 年年底。

沟镇。马鹿沟镇中学是一所普通的农村初级中学，2016 年，学校共有 6 个教学班，共计 165 名学生，其中住宿生 79 人；教职员工共计 46 人，其中中级教师 21 人。学校成立了教育信息化领导小组，明确了信息化建设的目标，制定了信息化建设的总体规划和实施方案，确定了"建设数字校园，打造乡村名校"的目标，采取"骨干教师先行"的工作策略，以点带面，分层次逐步推进教育信息化建设。

第一，加强教师的信息技术培训。学校多次派教师参加各种信息技术培训，以学习先进的教育信息化建设经验，并邀请长白县信息技术方面的专家来校为教师进行信息技术方面的培训。同时，学校坚持定期进行校本信息技术培训，定期组织专题培训，学习《国家中长期教育改革和发展规划纲要（2010—2020 年）》《教育部信息化"十三五"规划》等相关文件；针对程序、设备等方面，进行手把手培训，以提高全体教师的信息技术操作水平。学校形成了名师导学、师师互学、师师合学、师师想学的良好风气。同时，教师积极将教育信息化应用到课堂中，提高了信息化应用能力，同时起到了提高教学质量的作用。

第二，加强基础设施建设。2012 年起，学校在教育信息化建设方面持续投入资金，用来改善基础设施。学校为每个班级安装录播摄像头和录课采集、编程软件等设备，配置电子白板，并全部连接到互联网。另外，学校建有计算机网络教室 1 间，共有 39 台电脑，开通了两间多媒体会议室。同时，将原有的网络带宽由 20 M 提升到 50 M。为了满足教师多种途径办公和教学的需求，学校克服资金困难，给每个班级安装了 Wi-Fi，用最小的成本实现了校园教学和办公区域 Wi-Fi 全覆盖。

第三，推进信息技术教学应用。学校为教师提供了中学学科网、东师理想智慧云平台等教学平台，并建设有校内资源库。为推进信息技术教学应用，学校把"使用多媒体电子白板进行教学"作为教师上课的常规要求，同时采取"赛课"和定期检查的方式推进信息技术教学应用。在"赛课"中，学校要求所有的公开课都要基于信息技术进行授课，并将其作为评分的一项标准。在"赛课"结束后，要求各教研组进行评课，并对"赛课"中出现的较好的 PPT 课件、教学设计以及课堂实录进行完善及保存。在每学期期末的教育教学检查中，会将教师在课堂教学中的信息化应用情况作为考核重点。对在信息技术应用方面做得好的教师，学校及时颁发证书进行奖励；对在信息技术应用方面发现的问题，绝不放任。

经过几年的努力，马鹿沟镇中学的教学质量得到显著提升。课堂授课形式丰富多样，学生的学习兴趣浓厚，能够将注意力集中到课堂上，课堂教学效率得到大幅提升。

三、吉林长白县龙岗学校①

龙岗学校位于长白县龙岗镇，近几年，在县教育局的支持下，龙岗学校的校园网络基础设施得到较大改善，与之相适应的校园信息化水平也得到较大提高。龙岗学校确立了学校信息化建设的指导总则和总体目标，并制定了校园信息化建设的分阶段实施方案。

第一，建立完善的教育信息化管理机制。一是组建专门的领导小组。学校建立了校长担任组长，副校长、教导主任、信息技术教师担任副组长的信息化领导小组，负责研制学校信息化工作规划和管理制度。二是注重发挥带头人的表率作用。学校将数字化学校作为龙岗学校发展的重点和工作目标，将数字化校园建设融入学校制度建设、教学改革等学校日常工作中。学校鼓励学科带头人、教研组长率先在课堂教学中应用信息技术，充分发挥信息技术应用的带头表率作用。三是注重教师信息技术实践能力的培养。学校确立了分阶段、分层次、分步骤的教师信息技术能力培训体系，注重提高教师的信息技术操作能力，尤其重视培养教师利用信息技术设计制作教学资源的能力，特别是制作教学课件、微课等常用教学资源的能力。

第二，加大对基础设施的投入。为保障信息化教学顺利开展，学校完善了校园网络的平台建设，2017 年初，实现了无线网络全覆盖。为方便教师

① 无特殊说明，该部分涉及的数据来自研究团队对该学校的调研，数据截止时间为 2019 年年底。

利用信息技术开展教学，学校为每位班主任配置了一台平板电脑，在每间教室配置了多媒体电脑和投影仪，在每间办公室配置了专门用于教师备课的电脑。教师可以利用办公室的电脑制作教学课件、微课视频等教学资源。同时，学校建立了专用资源库，用于保存本校教师制作的信息化教学资源。完善的基础设施为信息化教学的开展提供了便利条件。

第三，注重教师信息技术能力培训。龙岗学校将教师信息技术能力作为教师考核的重要内容，根据老师的年龄提出了具体的要求，力争做到信息技术教学应用青年教师要过硬，中年教师要过关，老年教师要适应。为此，学校多次组织信息技术教师培训，并于每年年终开展教师信息技术能力考核。到 2018 年年底，全校 100%的老师顺利通过考核，为学校信息化建设打下了坚实基础。

第四，强化教学和学习中的信息技术应用。学校对教师和学生的信息技术能力提出了要求，要求每位教师都能够熟练掌握电子文档制作、教学课件制作、微课制作等常用技能，要求学生在课堂上能够熟练运用平板电脑查阅资料、观看微课视频。为此，学校将张景山老师的课堂教学应用树立为学校典型，号召全体教师和学生学习。2015 年起，张老师就积极探索信息技术课堂教学的模式。他将自己的信息技术课堂教学应用总结为“四步五环”模式。“四步”即课前四步骤，具体是：第一步：设计自主学习任务单。教师根据自己的教学设想、教学目标，在认真分析教材、学情后，设计本节课的自主学习任务单。第二步：录制教学视频。教师经过精心准备后，结合自主学习任务单的目标、学习内容，广泛收集资料，完成微课视频的录制。第三步：学生自主学习。学生通过反复观看微课视频，根据自主学习任务单中教师提供的学习方法建议，自主完成学习任务。第四步：制订辅导计划。教师根据学生自主学习任务单中的信息反馈，制订个别辅导计划。“五环”即课中五环节，具体是：第一环“合作探究”：学生自由合作，交流自主学习任务单中的学习任务和困惑建议。第二环“释疑拓展”：学生提出在合作探究环节未能解决的学习任务及讨论中新产生的疑问，教师引导解决。第三环“练习巩固”：学生在没有新的疑问的情况下，自主当堂完成教师提前编写的习题。第四环“展示与纠错”：学生展示自主完成的练习，全班对其进行评价并及时纠错。第五环“反思总结”：学生对自己本节课知识点的掌握、自身表现的不足之处进行反思，对优秀之处进行总结。张老师的“四步五环”模式改变了传统的老师讲、学生听的“讲授—接受”模式，而是让学生通过观看教学视频，根据自身的情况安排学习，学生学习的自主性更强。同时，“四步五环”模式提升了课堂的互动性，老师成为指导者而非内容的传递者。老师有更多的时间和机会与学生互动，了解学生的学习情况，对其进行更有针对性的指导。

学校的系列措施取得了良好的效果。到 2019 年，该校教师已经能够熟练使用电脑制作电子文档、教学课件、微课，在课堂教学中熟练操作电脑展示教学信息；大多数教师都能够在自己的课堂教学中运用“四步五环”模式；学生利用信息技术开展学习的热情也很高，利用互联网收集资料、观看微课视频已经成为常态。

第三节　教 师 案 例

一、彭水县大坝村小学李老师

彭水县郁山镇大坝村小学，地处彭水县郁山镇东北角，距国道 319 线 5 公里，距县城约 60 公里。学校坐落在群山环抱之中，2017 年，学校共有 5 个教学班和一所附属幼儿园，共计学生 62 人，教师 6 人，是一所典型的偏远山区教学点。2014 年起，该校利用信息化手段提升教育教学质量，应用“教学点数字教育资源全覆盖”项目提供的资源开展教学，引进“阳光盒子”“双师教学”“一公斤盒子教学设计”“沪江网校”等公益教育项目。在学校教育信息化建设过程中，李老师发挥了重要作用，由一名教育信息化“小白”成长为信息技术应用能手。

2014 年秋，“教学点数字教育资源全覆盖”项目落户大坝村小学后。李老师于 2015 年春申报并获批彭水县第一个以村小教师为主要研究者的规划课题——“教学点数字教育资源全覆盖项目在西师版教材中的应用研究”。为开展好课题，李老师认真研读参考文献，积极开展信息技术教学应用实践，撰写学术论文。李老师的课题于 2017 年顺利结题，这也给李老师继续学习和应用信息技术以更大的鼓励。随后，在李老师的带动下，大坝村小学先后引进了“阳光盒子”“双师教学”“一公斤盒子教学设计”“沪江网校”等公益教育项目。通过这些项目，李老师能够直接接触到优秀老师，通过网络，李老师能观看优秀老师的上课过程，以及共享自制资源。李老师将从网络中获取的资源应用到自己的课堂上，并从中学习先进的教学方法。在李老师的带领下，大坝村小学的教育教学质量得到进一步提升，受到当地政府和社会各界的广泛关注。李老师先后获得“影响中国教育的 20 位好教师”“马云乡村教师”等多项荣誉称号。

二、咸安区蔡桥教学点陈老师

2017 年，研究团队对陈老师采访时，其担任湖北咸安区大幕乡蔡桥教学点的负责人。陈老师于 1982 年参加教育工作，当时有 35 年的教龄，是一名资深的基础教育工作者，曾获湖北五一劳动奖章、湖北省十佳师德标兵等荣誉。2014—2015 学年，蔡桥教学点只有一到三年级，共 24 名学生。三个年级组成了两个班：一年级一个班，二年级和三年级组成复式班。全教学点只有陈老师一名教师，他身兼负责人和教师双重职责。蔡桥教学点 2014 年上半年开始同步互动课堂的建设，2015 年正式投入使用，与中心校二号桥小学对接。

21 世纪初，随着外出打工人数的不断增加、城市化进程的加快，越来越多的农村家庭流入城镇，农村学校生源越来越少。陈老师所在的蔡桥村也是如此。2013 年秋季开学的第一天，家距学校只有 200 米的王奶奶牵着孙子找到陈老师，说："陈老师，让我孙子转到镇中心小学去读书吧。""为什么转校？王奶奶，你这种舍近求远的做法，会给自己和孙子在生活和学习上造成许多不便的。"陈老师问道。老奶奶含着眼泪说："陈老师，我也知道到镇上租房子会增加经济负担和困难，但是拗不过我儿子和儿媳妇啊！他们说镇中心小学学习条件好，教学质量高。"看着这一老一少期盼的眼光，陈老师无奈地开了转校证明。其实要求转校的学生已经有 5 个了。陈老师知道这与自己的教学质量有一定的关系，城里的学校能够开齐美术、音乐和英语课程，这些课对陈老师一个民转公教师、一个从来没有接触过这些知识的老师来说，是教不了更教不好的。家长要把孩子转走，陈老师也只能眼巴巴地看着，内心无比煎熬。

2014 年秋，咸安区教育局依托华中师范大学成立了咸安数字学校。数字学校通过网络将一个中心校和两三个教学点连接起来，组成教学共同体，中心校的老师通过网络给教学点上课，以解决教学点师资匮乏，开不齐课、开不好课的问题。蔡桥教学点和桃花尖小学（教学点），以及城里的二号桥小学组成了教学共同体，开通了同步互动课堂。二号桥小学的老师通过网络给蔡桥教学点和桃花尖小学的学生上起了英语、音乐、美术课。孩子们都很高兴，上课积极性更高了。随着时间的推移，孩子们变了，变得活泼开朗了，校园里多了更多欢声笑语。他们变得爱唱、爱跳、爱画。虽然教室的墙壁上、桌子上又多了许多涂鸦，但看到他们的变化，陈老师打心底高兴。

时间一天天在流逝，作为年近半百的民转公教师，陈老师感觉到越来越吃力。对操作计算机，他一窍不通。中心校老师的专业水平很高，英语课上流利的发音和朗读、音乐课上悦耳的曲调、美术课上动人的色彩，陈老师衷心地赞叹他们的专业素养，但也暗暗着急。如果哪一天停电了，网络连不上了，这些课他能不能上下去。在课堂上，他能不能像中心校的老师那样带着孩子们一起唱、一起画、一起跳，这给陈老师带来了一定的心理压力。陈老师不顾已过半百的年纪，响应上级号召，努力学习信息技术，积极参加各类培训。在同步课堂上，既当老师，又当学生，跟着中心校老师一步步练习画画，学习音律和英语单词的发音。功夫不负有心人，三年过去了，陈老师不仅能熟练使用教室里的全部多媒体设备，而且能在其他平台下载教学资源。陈老师基本学会了简谱，掌握了音符、音节、拍子、调号、强音、弱音等音乐知识；学会了调色、画简笔画、折纸、做简单的手工；还学会了 26 个英文字母的标准发音，学会了简单的单词和一首简单的英语儿歌。

2017 年 5 月 28 日，中心校的美术主讲老师布置两个教学点的助教老师要准备第二天学生画画的材料——画纸、剪刀、胶水、蜡笔、尺子等。放学后，教学点的老师到几公里外的镇上购买这些材料。5 月 30 日是端午节，29 日上课的那天，主讲老师先让三所学校的孩子通过视频欣赏赛龙舟、包粽子等传统节日的热闹场景，又播放了龙舟和粽子的图片，学生看到图片后立刻兴奋起来，这时主讲老师觉得时机已经成熟，让学生照着白板上的形象图画画。助教就发放画画材料，协助主讲老师指导学生画出龙舟和粽子。一堂课下来，孩子们都画出了漂亮的龙舟和粽子。最后让学生把自己的作品展示出来供大家点评。课后陈老师还把学生的作品通过 QQ 传给主讲老师，希望能给这些学生以鼓励。

语文课上，陈老师利用下载的课件帮助学生突破难关。“蒲公英妈妈准备了降落伞，只要有风轻轻吹过，孩子们就乘着风纷纷出发。”学生对这一句话不理解，陈老师先在屏幕上显示整株蒲公英让学生有全面的认识，然后一颗蒲公英种子飞扬出去，随即种子放大，蓬蓬松松的花瓣清晰可见。那蒲公英又靠什么飞翔呢？屏幕上刮起一阵微风，并带有风声，风儿一吹，蒲公英的种子随着悠扬的音乐声一颗一颗出发，重点词“纷纷出发”在屏幕上出现。这样化抽象为具体、化静止为动态，将学生带入情境，使学生学得轻松愉快。

蔡桥教学点变了，陈老师也变了，课堂上充满了欢声笑语，陈老师也重新找回了自己作为老师的快乐。接送学生的家长看到同步互动课堂和陈老师上的课，互相议论：这下可好了，咱们的孩子跟城里孩子一样，能听优秀老师上的英语、音乐、美术课啦！陈老师上课，跟放电影给孩子看一样，我的孩子每天吵着早点上学呢！2015 年春季开学的第一天，王奶奶带着孙子要求回来读书。王奶奶笑着对陈老师说：“现在我把孙子放在你这里读书，每年要节约大几千块钱呢，而且我儿子、儿媳妇说再也不担心孩子的学习了。”像王奶奶这样把孩子送回教学点读书的家长越来越多。2015 年，蔡桥教学点学生数增加到 24 人；2016 年，学生数增加到 31 人。

三、伍家岗区实验小学刘老师

刘老师，就职于伍家岗区实验小学。伍家岗实验小学将信息化融入教育教学中，曾获得湖北省数字化校园示范校称号。刘老师当时 46 岁（2018 年），是五年级班主任，教授语文学科。在小学里，像刘老师这个年龄阶段的老师，都有一个统一的称呼——“网络难民”，主要是指年龄比较大，之前接触信息化设备比较少，而且学习起来又比较困难的老师。

从成长环境来说，刘老师那一代人接触的信息化设备少之又少，一支粉笔、一块黑板，对于她们来说，就是最好用的，也是最直观的。在最开始推行信息化教学的时候，大家使用起来很困难，觉得没有粉笔、黑板方便。后来，在学校的大力推动与鼓励下，大家逐渐了解到信息化在课堂教学，和学生、家长沟通等方面能够发挥巨大作用，便开始学习信息技术，但也经历了逐渐适应的过程。四五年前，在别人的指导下，刘老师将书本上的内容和一些课外知识结合起来做成 PPT，并录制成视频，在课堂中播放时，所有同学都一边鼓掌，一边喊“是刘老师的声音，是刘老师的声音……”，激起了学生极大的兴趣。在取得良好的效果以后，刘老师逐渐尝试将其他技术应用到教学实践中。在 2017 年开放月的时候，刘老师把希沃白板应用到自己的课程教学中。当她向其他老师展示技术时，其他老师都为之惊叹。之后，其他老师纷纷效仿，想方设法地让自己的课堂变得更加生动形象，老师应用信息技术的积极性越来越高，同时也发现并没有想象中那么难。在这个过程中，刘老师逐渐摸索出属于自己的方法，关于信息技术的应用，方法大于实践，用得越多，做得越多，学得就会越快。在刘老师学习剪辑软件的过程中，一开始在加入声音、字幕的时候，总是会出现这样或那样的问题，很浪费时间，但是慢慢学会以后，就感觉很简单，操作起来也很容易。相对于年轻人，年龄偏大的老师学起来比较慢，但是为了更好地适应信息时代，不得不进行学习。刘老师对研究团队说：“学校为老师提供了大量的学习机会，每年都会组织老师进行培训，只要有好学的精神，总会学会。目前，最大的挑战，就是要不断的学习，活到老，学到老。”

第七章　对信息化促进县域义务教育均衡发展的理论阐释

第一节　教育公平理论视角的阐释

教育公平是社会公平在教育领域的延伸和体现，教育公平已经成为各国制定教育制度和教育政策的出发点之一。新中国成立以来，我国就高度重视教育公平，十九大报告明确提出“要全面贯彻党的教育方针，落实立德树人根本任务，发展素质教育，推进教育公平，培养德智体美全面发展的社会主义建设者和接班人”。同步课堂、双师教学、数字化教育资源等在薄弱学校的应用，帮助原本开不齐、开不好课程的教学点开齐、开好了课程，提升了教学质量。“教学点数字教育资源全覆盖”项目的实施，使数字教育资源成为教学点教师上课的好助手；城乡互助双师教学模式的实施，使优秀教师授课视频帮助薄弱学校提高了教学质量。这些信息化手段的应用在一定程度上解决了薄弱学校师资短缺、教学质量不高的问题。

一、信息技术起到了保障教育起点公平的作用

根据瑞典教育学家胡森（Husen）的教育公平阶段理论，教育起点公平

指的是一种保守主义的机会均等观，即人人都有受教育的权利，强调教育权利平等。[①]对包括教学点在内的薄弱学校的学生而言，信息技术的应用使他们有机会接触到丰富多彩的外部世界，可以和其他学校学生一样有接受小学阶段全部课程完全教育的机会，保障了基本的受教育权，即保障了教育的起点公平。例如，本书案例地区的湖北的咸安区、崇阳县，吉林的长白县，重庆的彭水县等地，利用信息技术使教学点开齐了原本无法开设的艺术类课程，教学点的孩子同其他学校的孩子一样，享受了同等的接受优质教育的权利。从这个意义上来看，信息技术起到了保障教育起点公平的作用。

二、信息技术起到了保障教育过程公平的作用

在受教育过程中得到与其他学校学生同等的对待，是教育过程公平的表现。信息技术的使用帮助教学点做到了开足、开齐、开好国家规定的课程，尤其是音乐、美术等专业教师比较缺乏的课程。从这个角度来讲，信息技术保障了教学点学生的过程教育公平。相比其他课程，艺术类课程的教育价值具有独特性，是其他课程无法取代的。艺术教育的目的是促进学生身心和谐发展，且对德育、美育、智育都有积极价值。一是德育价值。艺术教育以音乐、美术等课程为载体，用生动形象的方式循循善诱，帮助学生培养热爱生命、热爱生活的情感，树立正确的人生观、价值观和世界观。二是美育价值。艺术作品追求“象外之象”“弦外之音”“景外之情”“言外之意”的境界，从而培养学生感知美、鉴赏美、创造美的能力，帮助学生在审美过程中寻求精神的自我醒悟和慰藉。三是智育价值。艺术不但能开发人们的形象思维，还能催生抽象思维，对培养人的思维能力具有积极价值。[②]对包括教学点在内的薄弱学校的学生而言，信息化手段让他们有机会接触优质的教育资源，特别是优秀教师资源，同优质学校的学生一样受到同等或者近乎同等

---

① 易红郡. 历史视野下西方教育公平问题研究——西方教育公平理论的多元化分析[J]. 湖南师范大学教育科学学报，2010，9(4)：5-9.

② 李一帅. 艺术经典的美育价值探析[J]. 美育学刊，2019，10(2)：16-21.

的教育，在过程上保障了教育公平。因此，信息技术的应用保障了教育过程公平。

三、信息技术起到了保障教育结果公平的作用

教育结果公平是指在确保人人都有受教育机会的基础上，注重人的差异性，保障学习者具有取得学业成就的机会，这是一种最终的理想目标。[①]信息化手段让薄弱学校学生和其他学校学生有同等机会获得均等的成就，在一定程度上保障了教育结果公平。王继新、陈文竹通过对咸安区参与同步课堂的中心校、教学点的学生和未参与同步课堂的教学点的学生进行对比，用测试数据分析了技术干预对这些学生在学业发展、心理状况和行为发展三个方面影响的差异。得出结论：①学业发展方面。未受技术干预的非教学点学生在学习方式和学习态度方面与受到技术干预的教学点学生存在显著差距；②在心理状况方面，受到技术干预的教学点学生在核心自我评价、学校满意度和积极情绪能力方面的得分要显著高于未受技术干预的教学点学生；③在行为发展方面，受到技术干预的教学点学生的人际交往能力和兴趣特长发展要显著优于未受技术干预的教学点学生，但在行为发展的三个指标上仍与中心校学生存在差距。[②]由此可见，信息技术手段对促进学生发展是有积极作用的，这对于保障其获得与其他学生均等的成就，从而保障结果公平具有积极的价值。

第二节　技术创新扩散视角的阐释

根据埃弗雷特・罗杰斯（E.M.Rogers）的创新扩散理论，技术在创新扩

① 易红郡. 历史视野下西方教育公平问题研究——西方教育公平理论的多元化分析[J]. 湖南师范大学教育科学学报，2010，9(4)：5-9.

② 王继新，陈文竹. 信息化助力农村教学点学生发展的观测与评价——以咸安教学实验区为例[J]. 中国电化教育，2018(3)：31-40.

散过程中有五类使用者，分别是创新者、早期采用者、早期大多数、晚期大多数、落后者，并在技术创新扩散中起到了不同的作用。[①]信息技术在农村薄弱学校应用本身就是一个技术扩散的过程。研究团队根据对湖北咸安区、崇阳县，吉林长白县，四川冕宁县，重庆彭水县，云南武定县、牟定县等地的调查，认为信息技术促进义务教育均衡发展既是技术扩散的过程，也是技术在教育场域中不断被应用、革新和推广的过程，也是一个制度化的过程，还是技术与教育融合的过程。

一、信息技术促进义务教育均衡发展是技术扩散的过程

第一，农村地区的信息技术使用者属于晚期大多数使用者和落后者。适用于农村地区的信息技术多是比较成熟，且在其他地区使用比较频繁的技术。之所以是这种情况，一是因为这些技术的应用已经比较成熟，容易推广；二是农村地区教师的信息技术应用能力相对较弱，适用于掌握成熟技术。根据研究团队的调查数据，接受调查的教师中有 86%的人认为在教育教学中常用的信息技术是非常成熟的、普遍使用的技术，其中有 72%的人认为自己已经熟练掌握这些技术。

第二，农村薄弱学校信息技术的应用属于技术扩散的大范围扩散阶段。农村薄弱学校应用信息技术的方式比较简单，应用的技术工具一般也是比较成熟的工具。根据研究团队的调查，这些学校使用的信息技术主要包括以下几种：一是办公软件，一般为市场中比较常见的 WPS Office、Microsoft Office；二是教学用软件，包括备课、授课用的课件展示软件，一般有 WPS Office、Microsoft Office、希沃授课助手；三是教学平台，以教育部门向厂商购买的形式为主；四是少部分地区使用基于移动设备的教育教学应用软

① 段哲哲，周义程. 创新扩散时间形态的 S 型曲线研究——要义、由来、成因与未来研究方向[J]. 科技进步与对策，2018，35(8)：155-160.

件，如彭水县部分老师通过智能手机使用微信公众号、“沪江网校”APP参与网络教学社区，从中获取信息和资源。这些工具大多是市场上已经非常成熟、使用十分广泛的软件。可见，根据创新扩散理论，信息技术在这些地区的应用处于技术扩散的阶段。

二、信息技术促进义务教育均衡发展是技术在教育场域中不断被应用、革新和推广的过程

信息技术进入农村学校场域后，也需要适应农村学校的教育环境，做出某些改变。以湖北的崇阳县为例，全国大部分地区应用同步课堂的方式都是直接将两个或者三个异地课堂通过网络连接起来，主讲教师的授课现场被同步到异地课堂。但崇阳县对同步课堂的形式做了调整，在全县选择 1 所学校作为中心校，专门设立 10 间没有本地学生的“联校网教”教室，在全县范围内选择 10 名优秀的音乐和美术教师作为专职教师，在“联校网教”教室给教学点学生上课。看似简单的改变，却带来了不一样的效果。研究团队在湖北咸安区对主讲教师端有本地学生的同步互动混合课堂和湖北崇阳县主讲教师端没有本地学生的同步互动专递课堂的教师都进行了访谈。结果发现，相比咸安区的方式，崇阳县的方式有以下几个特点：①在崇阳县的同步课堂中，教师能够更加专心地投入到教学中，因为他们是被抽调来专职负责网络教学的，除此之外，没有其他教学任务。②在崇阳县的同步课堂中，教师可以和网络端教学点的学生进行更好的互动，在无本地学生的情况下，教师可以将更多的精力和时间用于关注网络端的学生。而在咸安区的同步课堂中，主讲教师并非简单地将本地教学直播到异地，还需要和异地学生进行互动，指导他们的学习，这对他们来说是一种额外的负担，对本地学生的关注必然下降。在本地学生数量没有减少的情况下，教学质量必然受到影响。可见，崇阳县的同步课堂是对同步课堂这种方式在应用中的创新，丰富了同步课堂的形态，让同步课堂更加富有生机。

三、信息技术促进义务教育均衡发展是一个制度化的过程

信息技术在农村学校的应用被制度化下来，以组织化的方式、规范的管理条文明确定下来。例如，湖北咸安区的做法是：第一，建立咸安数字学校。该学校是一所采用“独立建制、分层管理”模式运作的虚实结合的学校，由教育局主要领导担任校长，上设理事会为决策机构，下设办公室，包括校务管理部、教学管理部、学生管理部、师资培训部、后勤保障部，由教育局基础教育、教研、人事、装备、计划财务等相关股室的股长担任负责人，具体负责教育信息化工作的开展。咨询委员会由相关专家团队组成，为理事会提供决策咨询服务。第二，制定系列规章制度，包括《咸安区信息化教育教学应用推进方案》《咸安数字学校章程》《咸安区信息化环境下语文教学研究方案》《咸安区信息化环境下数学教学研究方案》《咸安区信息化环境下英语教学研究方案》《信息化环境下的教师教学评价》《咸安区骨干教师 TPACK 能力培养计划》《咸安区信息化环境下学生成长跟踪观察方案》《咸安区课程资源建设方案》《咸安区信息化环境下科学教学研究方案》《咸安区教育局教育信息化工作月报制度》等。

再如湖北崇阳县，同步互动专递课堂在该县取得了成效，该县教育局出台的文件被制度化下来，主要措施有：第一，成立专门的领导小组（崇阳县农村教学点依托信息技术开齐开好课程改革工作领导小组），对联校网教工作进行专门的组织和管理。第二，成立崇阳县联校网教协同中心，具体负责联校网教工作的组织和推进。[①]具体工作内容有：建立联校网教信息化管理体系、联校网教质量监测体系，形成联校网教督导评估机制，总结联校网教改革项目工作成果，推介联校网教创新办学模式，组织开展联校网教教育信息化教研活动和联校网教质量监测活动，组织联校网教协同中心主讲教师选拔工作，组织检修维护联校网教设施设备及网络，开展教学点信息技术人员

① 来自崇阳县教育局提供的资料。

培训和主讲教师上岗培训。第三，制定一系列的规章制度，包括《崇阳县联校网教主讲教师管理制度》《崇阳县联校网教教师选聘管理办法》《崇阳县联校网教教师考核、评价制度》《崇阳县联校网教教师培训制度》《崇阳县联校网教教师培训实施方案》《崇阳县联校网教教学研究工作制度》《崇阳县联校网教教研工作标准》《崇阳县联校网教专递课堂教研活动方案》等。

这些机构和规章制度在咸安区和崇阳县的教育信息化建设过程中发挥了重要作用。两地的成功经验得到湖北省教育厅的高度认可。湖北省于 2016 年开始在 19 个县 200 个教学点（2017 年扩增为 300 个教学点）推行的“农村教学点网校质量提升工程”[①]，在全省范围内推广咸安区和崇阳县的经验。

四、信息技术促进义务教育均衡发展是技术与教育融合的过程

信息技术在农村学校的使用，促使农村学校的教学方式、教学形态发生了改变。这实质上是信息技术与农村学校的教育教学不断融合的过程。

第一，借助信息技术，先进的教学理念、教学方式得以在农村学校传播。通过同步课堂、双师教学和有组织的 MOOC 教学，农村学校本地教师借助互联网接触到了优秀教师，并且能够长期跟随式地学习优秀教师的教学方法，在教育教学思想观念等方面受其影响。这些优秀教师先进的教学理念、教学方法也通过互联网得以传播。第二，信息技术的应用促进了优质教育资源的共建共享。一是数字化教育资源共建共享，如专门数字化资源平台系统在农村学校中的广泛应用。在彭水县等地，研究团队发现，当地教师能够比较熟练地使用“沪江网校”这样的教育资源平台，观看和使用平台中其他老师上传的资源，自己也会制作资源上传，形成了资源共建共享的良性循环。在咸安区、崇阳县、长白县、牟定县、冕宁县等地，同一所学校或者同一个学科的教师都会有 QQ 群、微信群，这些群也成为他们资源共建共享的

① 湖北省教育厅关于做好农村教学点网校试点工作的通知[Z]. 2016-07-20.

平台。第三，信息技术的应用促进了家校交流与合作。研究团队发现，QQ、微信等社交软件在农村学校也得到广泛应用。教师通过这些社交软件与学生家长进行交流和沟通，在对学生的教育方面进行协作。当然由于农村地区留守儿童较多，儿童监护人多为祖父母或者外祖父母，教师与他们的沟通存在一定的困难。但信息技术的介入为沟通提供了支持，如能好好加以利用，是具有积极意义的。第四，信息技术的应用提高了教育管理效率。研究团队发现，信息技术在农村学校管理中的应用主要有两种方式：一是 QQ 和微信等社交软件的应用，每个学校有自己的 QQ 群或者微信群已经形成常态；二是部分地区使用信息技术平台进行教务和学籍管理。这些技术的使用提高了农村学校教育管理的准确性，提高了效率，也从侧面促进了信息技术与教育的融合。

第三节　社会比较理论视角的阐释

社会比较理论认为，当人们无法恰当地通过客观手段检验个体的观念、信念、看法、情绪、社会地位、能力以及处境等时，将会尝试与别人做比较来减轻自己所经历的不确定感。中国城乡教育存在一定差距，农村地区的教育普遍落后于城区教育。农村地区学校的教师和学生也会拿自己的处境与其他学校进行比较，而信息技术在农村学校的应用，一是社会比较的结果，二是让农村学校的师生有了更加直接的比较对象，三是这种比较有其有利的一面，也有其不利的一面。

一、信息技术手段的运用是基于社会比较的心理

相比城镇地区，农村地区的社会经济发展相对滞后，信息技术在学校的应用一般会落后于城镇地区。那么，是什么促使他们跟随城镇地区的步伐使用信息技术呢？是因为城镇学校在用，所以自己学校也要用，还是确实需要

用信息技术提高教学效果，满足教学需求呢？为此研究团队设置了相关问题，进行了问卷调查和访谈。对湖北咸安区的调查显示，咸安区建立数字学校是教育局的推动结果，一是出于解决农村学校，尤其是教学点音乐、美术等课程开不齐、开不好的问题；二是出于缩小农村教学点与其他学校的差距。对湖北崇阳县，重庆彭水县，四川冕宁县，云南牟定县、武定县的调查也得到同样的结果。教育信息化的推进基本都是在教育局的主导下，通过加强学校信息化基础设施建设，以及对教师信息技术能力的培训和考核，强制要求课堂教学应用信息技术等方式进行的。教育局推行信息技术的目的出于两点考虑：一是信息技术的应用是大势所趋，国家有关政策也对信息技术应用提出了要求；二是信息技术能够帮助提高教学效率，改善教育质量。[①]由此，研究团队认为，信息技术的使用有社会比较的因素在其中发挥作用。“大势所趋”本身就是别人都在用，所以我也要用，是社会比较心理的体现。

二、信息技术的应用让农村学校有了更加直接的比较对象

在没有信息技术介入的情况下，信息传递主要依靠传统媒介，如报纸、电视等。农村学校用于进行直接比较的对象是它们能够接触到的周边学校，如县域内或者省域内的学校。对于老师和学生而言，周边的学校也是其进行直接比较的主要对象，因为这些学校是他们能够通过主要信息渠道获取信息的对象。

信息时代，农村学校获取信息的渠道变得多样化，如同步课堂、MOOC 等让农村学校的老师和学生能够更加直接地近距离接触其他学校，尤其是城镇地区的优质学校，这让他们有了更多直接的比较对象。农村学校的教师会将同步课堂和 MOOC 中的教师作为直接比较对象，从教学能力、知识水准、教学方法、课堂教学组织等多个维度进行比较。在比较的过程

① 李运林. 论教育与信息・信息技术——四论“信息化教育”兼解读“信息技术对教育发展有革命性影响”[J]. 电化教育研究，2013，34(3)：11-15.

中，能够更加清晰地认识到自身在以上方面存在的不足，反思造成不足的原因。农村学校的学生会将同步课堂和 MOOC 中的学生作为直接比较的对象，教室环境、衣着打扮、行为举止、课堂互动等都会成为他们比较的对象。

韩荣荣对重庆彭水县的调查证实了农村学校教师和学生在双师教学中进行社会对比的存在。彭水县的数学老师认为，双师教学中受益最大的是本地老师。因为在观看视频过程中会不自觉地将优秀教师的讲课过程、教学方法、教学理念与自己的进行对照，在对照过程中体会差距，进行反思，进而实现提升。学生也会把视频中看到的学生的行为与自己的行为进行对比，“尤其是当视频中的老师提问，他们也能回答上来的时候，学生内心的自豪感以及发自内心想学习的欲望特别明显”[①]。

三、借助信息技术的社会比较对农村学校的利弊

任何事物都有两面性，农村学校教师和学生将自己与网络端或者教学视频中的师生进行比较，对于他们的发展既有利也有弊。有利的一面表现在，这种比较会让他们察觉并反思与城镇师生的差距及差距存在的原因，并尽可能地通过自身努力来缩小差距。不利的一面则表现在，有些差距和不足并非个人努力所能够弥补的。城镇学校和农村学校在资源配置、经费投入、办学理念和模式方面的差异，城镇学校和农村学校教师在个人专业背景、教学和生活经历、所处社会环境方面的差异，以及城镇学校和农村学校学生在个人家庭背景、学校环境和社会环境等方面的差距，并非仅仅通过个人努力就能够弥合的。当教师和学生发觉通过个人努力无法弥合差距时，难免会受到一定的负面影响。当然，目前缺乏相关的实证证据探究或者验证社会比较对农村学校教师和学生的影响，可作为未来研究的内容。但对农村学校教师和学生进行正确的引导，是研究团队调查地区所缺乏的，教育主管部门有必要给予一定的重视。

① 韩荣荣. 信息化助力县域内义务教育均衡发展：“双师教学”模式实践[D]. 华中师范大学，2018.

参 考 文 献

蔡定基, 黄威. 义务教育均衡发展视野下的学区集团管理模式探析[J]. 全球教育展望, 2011(11): 73-77.

蔡丽红. 台湾义务教育均衡发展状况及评述[J]. 东北师大学报(哲学社会科学版), 2011(5): 167-171.

陈钢. 制度创新: 义务教育均衡发展的关键支撑[J]. 南京社会科学, 2009(8): 113-117, 123.

陈世伟, 徐自强. 县域义务教育均衡发展指标体系构建研究[J]. 内蒙古农业大学学报(社会科学版), 2010(4): 225-227.

陈艺, 刘洋洋. 城乡义务教育均衡发展: 公众满意度评价及问题透视——基于统筹城乡综合配套改革试验区成都市的实证调查[J]. 农村经济, 2015(8): 120-125.

褚宏启, 高莉. 义务教育均衡发展评估指标与标准的制订[J]. 教育发展研究, 2010(6): 25-29.

崔慧广. 县域义务教育均衡发展测度指标与方法的研究[J]. 创新, 2010(2): 109-112.

崔慧广. 基于公众需求的义务教育均衡发展财政政策研究: 一个理论框架的构建[J]. 现代教育管理, 2012(4): 42-46.

董世华, 范先佐. 我国县域义务教育均衡发展监测指标体系的构建——基于教育学理论的视角[J]. 教育发展研究, 2011(9): 25-29, 34.

董新良, 李丽君. 义务教育均衡发展指数及其测度方法的研究[J]. 课程教育研究, 2014(12): 87-88.

范先佐. 义务教育均衡发展与农村教育难点问题的破解[J]. 华中师范大学学报(人文社会科学版), 2013(2): 148-157.

范先佐. 义务教育均衡发展改革的若干反思[J]. 教育研究与实验, 2016(3): 1-8.

范先佐, 郭清扬, 付卫东. 义务教育均衡发展与省级统筹[J]. 教育研究, 2015(2): 67-74.

范先佐, 曾新, 郭清扬. 义务教育均衡发展与农村中小学教师队伍建设[J]. 教育与经济, 2013(6): 36-43, 53.

方建锋. 让每一个孩子享受公平的教育——义务教育均衡化发展概述[J]. 教育发展研究,

2005(4): 39-45.
高庆蓬, 孙继红. 义务教育均衡发展备忘录的政策分析[J]. 中国教育学刊, 2015(12): 17-21, 53.
高铁刚. 信息技术提升教育均衡发展的机制与方法研究[J]. 中国电化教育, 2014(1): 22-28.
高铁刚. 信息技术提升教育均衡发展的公共政策创新机制研究——信息技术提升教育均衡发展的动力机制研究[J]. 中国电化教育, 2014(6): 23-29.
高铁刚. 信息技术提升义务教育均衡发展水平的现状、问题与对策[J]. 中国电化教育, 2015(2): 1-6.
龚春燕. 对义务教育均衡发展系数模型与评估的思考[J]. 人民教育, 2012(12): 10-11.
龚春燕, 何怀金, 程艳霞, 等. 义务教育均衡发展评估模型研究[J]. 上海教育评估研究, 2012(1): 39-44.
郭清扬. 义务教育均衡发展与农村薄弱学校建设[J]. 华中师范大学学报(人文社会科学版), 2013(1): 161-168.
国家教育督导团. 国家教育督导报告 2005——义务教育均衡发展: 公共教育资源配置状况[J]. 教育发展研究, 2006(9): 1-8.
国家教育发展研究中心专题组. 实现基础教育均衡发展的现状分析及对策选择, 2002(5): 8-11.
黄培. 法国公布初中教育改革计划[J]. 世界教育信息, 2015(9): 76-77.
"教学点数字教育资源全覆盖"项目技术方案(基本方案)[EB/OL]. http://jxd.eduyun.cn/cms/jxds/xmdt/20130619/343.html, 2013-06-19/2017-03-11.
雷万鹏. 寻求义务教育均衡发展的新机制——基于湖北省的实证研究[J]. 教育研究与实验, 2006(2): 11-16.
李官, 王凌. 云南民族自治县农村义务教育均衡发展的成效及经验[J]. 学术探索, 2013(10): 141-145.
李桂荣, 尤莉. 县域义务教育均衡发展指标的优先性鉴别——基于对不同类型利益相关者的调查[J]. 教育发展研究, 2015(18): 20-26.
李慧勤, 刘虹. 县域间义务教育均衡发展的影响因素及对策思考——以云南省为例[J]. 教育研究, 2012(6): 86-90.
李姗泽, 范亮. 信息化助推义务教育均衡发展的机制探讨[J]. 电化教育研究, 2012(10): 41-44.
栗玉香. 义务教育均衡推进的财政分析与政策选择[J]. 教育理论与实践, 2006(15): 13-16.
梁林梅, 许波, 陈圣日, 等. 以网络校际协作促进区域教育均衡发展的案例研究——以宁波市江东区为例[J]. 远程教育杂志, 2015(3): 103-112.
刘光余. 论我国县域义务教育均衡发展的取向、范式与路径[J]. 教育理论与实践, 2011(25): 26-29.
刘晖, 钟斌. 修正义务教育均衡发展指标体系的论证——以广州市为例[J]. 教育学术月刊, 2013(6): 18-22.

刘翔, 申卫华. 我国义务教育均等化水平研究——基于省际数据的测度分析[J]. 内蒙古财经学院学报, 2009(4): 93-98.
刘雍潜, 杨现民. 大数据时代区域教育均衡发展新思路[J]. 电化教育研究, 2014(5): 11-14.
刘忠民, 王喆. “互联网+教育”精准扶贫 助推城乡教育均衡发展——以吉林省武龙中学为例[J]. 中国电化教育, 2016(8): 98-101.
柳海民, 林丹. 本体论域的义务教育均衡发展[J]. 东北师大学报(哲学社会科学版), 2005(5): 11-18.
卢洁莹. 哲学视野下“教育机会均等”内涵[J]. 西南民族大学学报(人文社科版), 2004(12): 385-388.
马晓强. “科尔曼报告”述评——兼论对我国解决“上学难、上学贵”问题的启示[J]. 教育研究, 2006(6): 29-33.
潘红波. 县域义务教育均衡发展的新模式——对河南息县等四县(区)的案例分析[J]. 教育发展研究, 2010(12): 21-24.
彭红光, 林君芬. 以信息化促进义务教育均衡发展的机制和策略[J]. 中国电化教育, 2010(10): 33-39.
彭世华. 区域内义务教育均衡发展省级目标和标准研究的概念探讨[J]. 当代教育论坛(综合研究), 2010(9): 12-16.
任春荣. 县域义务教育均衡发展评估指标的选择方法[J]. 中国教育学刊, 2011(9): 5-7.
阮成武. 我国义务教育均衡发展政策的演进逻辑与未来走向[J]. 教育研究, 2013(7): 37-45.
申国昌, 王永颜. 县域义务教育均衡发展的现状调查与政策建议——以湖北恩施教育调查为例[J]. 教育研究与实验, 2015(4): 68-72.
沈有禄, 郑晓华. 县域义务教育均衡发展: 理想与现实——来自广西武鸣县的报告[J]. 教育学术月刊, 2013(5): 11-16.
孙素英. 区域义务教育均衡发展影响因素[J]. 中国教育学刊, 2012(6): 7-11.
谈松华. 农村教育: 现状、困难与对策[J]. 北京大学教学评论, 2003(1): 99-103.
王定华. 关于我国义务教育均衡发展之审视[J]. 中国教育学刊, 2010(4): 11-16.
王凤玲. 落实责任应对挑战推进义务教育均衡发展[J]. 教育研究, 2010(9): 12-16.
王继新, 张伟平. 信息化助力县域内教育优质均衡发展研究[J]. 中国电化教育, 2018 (2): 1-7.
王建容, 夏志强. 我国义务教育均衡发展的内涵及其指标体系构建[J]. 理论与改革, 2010(4): 70-73.
王晋堂. 义务教育均衡离我们有多远[J]. 人民教育, 2010(5): 29-32.
王孔敬. 国外义务教育均衡政策及其对重庆民族地区义务教育均衡发展的启示[J]. 贵州民族研究, 2010(2): 136-143.
王璐, 孙明. 英国教育均衡发展政策理念探析[J]. 比较教育研究, 2009(3): 7-11, 60.
王晓辉. 学校分区图——法国教育均衡的政策工具[J]. 比较教育研究, 2010(12): 53-57.
王焱. 聚焦徐州“无差别教育”——推进区域义务教育均衡发展的新尝试[J]. 人民教育,

2005(24): 5-8.
文新华. 我国义务教育均衡发展研究及政策制定中的两个理论问题[J]. 教育科学研究, 2005(12): 5-8.
武秀霞. 公平视野下义务教育均衡发展的理论与实践探寻[J]. 教育发展研究, 2011(6): 6-11.
肖军虎. 我国县域义务教育均衡发展指标体系的构建[J]. 教育理论与实践, 2011(25): 30-33.
许凤琴. 论教育机会均等的理论结构及基本特征[J]. 教育科学, 2000 (1): 16-20.
许杰. 重心下移: 义务教育均衡发展政策走势[J]. 中国教育学刊, 2012(3): 5-8, 12.
薛二勇. 区域内义务教育均衡发展指标体系的构建——当前我国深入推进义务教育均衡发展的政策评估指标[J]. 北京师范大学学报(社会科学版), 2013(4): 21-32.
薛海平. 我国义务教育均衡发展预警制度研究[J]. 教育理论与实践, 2014(10): 25-29.
薛海平, 李岩. 中国城乡义务教育均衡发展预警机制研究[J]. 首都师范大学学报(社会科学版), 2013(2): 132-137.
杨彬, 杨春芳, 王慧霞, 等. 推进义务教育均衡发展完善城乡一体化体制机制[J]. 天津市教科院学报, 2012(1): 5-8.
杨东平. 教育公平的理论和在我国的实践[J]. 东方文化, 2000(6): 86-94.
杨令平, 司晓宏. 西部县域义务教育均衡发展现状调研报告[J]. 教育研究, 2012(4): 35-42.
杨晓霞, 刘晖. 生均教育经费: 义务教育均衡发展核心指标及其修正[J]. 教育发展研究, 2013(2): 21-25.
杨兆山, 金金. 建设“标准化学校”搭建义务教育均衡发展的操作平台[J]. 东北师大学报, 2005(5): 36-41.
姚继军, 张新平. 新中国教育均衡发展的测度[J]. 华东师范大学学报(教育科学版), 2010(2): 33-42.
姚永强, 范先佐. 论义务教育均衡发展方式的转变[J]. 教育研究, 2013(2): 70-76.
尤莉. 义务教育均衡发展指数设计的国际经验与借鉴[J]. 中国教育学刊, 2016(10): 56-61.
于发友, 赵慧玲, 赵承福. 县域义务教育均衡发展的指标体系和标准建构[J]. 教育研究, 2011(4): 50-54.
约翰・罗尔斯. 正义论[M]. 何怀宏, 何包钢, 廖申白译. 北京: 中国社会科学出版社, 1988, 3.
曾利萍, 吴江. 推进城乡义务教育均衡发展的主要途径探讨[J]. 西南农业大学学报(社会科学版), 2008(5): 210-212.
翟博. 教育均衡发展: 理论、指标及测算方法[J]. 教育研究, 2006(3): 16-28.
翟博. 中国基础教育均衡发展实证分析[J]. 教育研究, 2007(7): 22-30.
翟博. 教育均衡发展指数构建及其运用——中国基础教育均衡发展实证分析[J]. 国家教育行政学院学报, 2007(11): 44-53.
翟博, 孙百才. 中国基础教育均衡发展实证研究报告[J]. 教育研究, 2012(5): 22-30.
张茂聪, 刘信阳. 县域义务教育优质均衡发展: 基于内发展理论的构想[J]. 教育研究,

2015(12): 67-72.

张旺, 郭喜永. 省域义务教育均衡发展研究——基于吉林省 40 个县(市)义务教育发展的比较分析[J]. 东北师大学报(哲学社会科学版), 2011(6): 170-176.

张燕军. 从奥巴马政府修订 NCLB 法看美国教育均衡发展[J]. 外国教育研究, 2011(2): 44-49.

赵丹. 农村教学点在义务教育均衡发展中的作用、问题与对策[J]. 华中师范大学学报(人文社会科学版), 2012(9): 153-160.

赵丹. 县域义务教育均衡发展: 公众满意度评价及问题透视-基于西北五县的实证调查[J]. 华中师范大学学报(人文社会科学版), 2017(7): 147-154.

赵红霞, 谢红荣. 义务教育均衡发展中的精准扶贫研究[J]. 湖南师范大学教育科学学报, 2016(5): 84-88.

赵磊. MOOC 创新扩散的本质特征及分析框架研究[J]. 中国远程教育, 2018(3): 45-51, 80.

赵庆华, 江桂珍. 义务教育均衡发展的政府投入行为分析[J]. 东北师大学报, 2006(5): 145-149.

中国教科院"义务教育均衡发展标准研究"研究团队. 义务教育均衡发展国家标准研究[J]. 教育研究, 2013(5): 36-45.

中央教育科学研究所教育政策分析中心. 义务教育均衡发展是实现教育公平的基石[J]. 教育研究, 2007(2): 3-11.

周峰. 试论基础教育均衡发展的若干问题[J]. 教育研究, 2002(8): 70-93.

周洪宇. 教育公平论[M]. 北京: 人民教育出版社, 2010.

周晓梅. 信息技术提升义务教育均衡发展的探讨[J]. 课程教育研究, 2015(7): 145.

周玉霞, 朱云东, 刘洁, 等. 同步直播课堂解决教育均衡问题的研究[J]. 电化教育研究, 2015(3): 52-57.

朱德全, 李鹏, 宋乃庆. 中国义务教育均衡发展报告——基于《教育规划纲要》第三方评估 1 的证据[J]. 华东师范大学学报(教育科学版), 2017(1): 63-77, 121.

朱家存, 阮成武, 刘宝根. 区域义务教育均衡发展监测指标体系研究——基于安徽省义务教育政策实践[J]. 教育研究, 2010(11): 12-17, 59.

Coleman J S, Campbell E Q, Hobson C J, et al. Equality of educational opportunity[R]. Washington: Government Printing Office, 1966.

Husén T. Social Influences on Educational Attainment: Research Perspectives on Educational Equality[M]. Paris: OECD, 1975.

Office of Educational Technology. Transforming American education: Learning powered by technology[EB/OL]. http://www.ed.gov/sites/defauh/files/NETP-2010-final-report.pdf, 2010-06-24/2022-05-24.

Office of Education Technology. Future Ready Schools: Building Technology Infrastructure for Learning[EB/OL]. https://tech.ed.gov/infrastructure/, 2014-11-15/2017-02-08.

Rawls J A. Theory of Justice[M]. Massachusetts: The Belknap Press of Harvard University

Press, 1971.
U.S. Department of Education. Rural Education Achievement Program[EB/OL]. https://www2.ed.gov/nclb/freedom/local/reap.html, 2022-04-12/2022-05-24.
White House. President Obama Unveils ConnectED Initiative to Bring America's Students into Digital Age[EB/OL]. https://www.whitehouse.gov/thepress-office/2013/06/06/president-obama-unveils-connectedinitiative-bring-america-s-students-di, 2013-06-06/2017-05-01.

附　　录

附录A　教师信息化素养调查问卷和访谈提纲（针对教师）

一、调查问卷（请在合适的选项上打√）

1. 您的性别

①男　　②女

2. 您的年龄

①≤25　　②25—35　　③35—50　　④≥50

3. 您的职称

①没有职称　　②初级　　③中级　　④副高级　　⑤高级

4. 您所在学校的类型

①农村完小或教学点　　②农村中心校或者完小

③城镇学校　　④城市学校

5. 当您在工作和生活中遇到问题难以解决时，您是否有意识采用信息技术手段解决问题?

①完全没有想到　　②受提示或者启发会想到

③偶尔会想到　　　　　　　　④会第一时间想到

6. 您对信息技术教育应用的态度是?

①非常抵触　　　　②有点抵触　　　　③既不抵触也不欢迎

④比较欢迎　　　　⑤非常欢迎

7. 您认为信息技术对教学的影响表现在哪些方面?（多选）

①提供更加丰富的教学资源

②以更加直观、形象、生动的形式展现教学内容

③为更加多样化的教学方式和教学模式提供了可能

④为改变传统的以教师为中心的课堂教学提供了可能

⑤为师生之间突破时间和地域限制的交流和沟通提供了技术支持

⑥学生可以不必从老师那里学习知识，对传统课堂教学中教师的角色和地位形成冲击

⑦提供学生个人学习风格和学习状况的精准数据，为学生的自适应学习和教师进行个性化的指导提供支持

⑧以上都不是

8. 您会使用与教学相关的信息技术类型有哪些?（多选）

①上网搜集并下载教学相关的资料

②使用多媒体演示软件制作教学课件（PPT）

③使用电子文档编辑软件、制作教案

④使用动画制作软件（Flash）制作教学动画

⑤使用音频编辑软件编辑教学音频

⑥使用视频编辑软件编辑教学视频

9. 您学习信息技术是通过何种途径?（多选）

①学生时代在学校通过课程学习的

②学生时代自学的

③工作后自学的

④工作后经过信息技术能力培训后学习到的

⑤工作过程中，在同事的帮助下学习到的

⑥没有学习过

10. 您在课上和课下使用信息技术的用途有哪些？（多选）

①在课堂上利用计算机进行教学演示

②在课堂上利用视频展示台等设备进行实物展示

③通过平台或者社交软件（如 QQ、微信、电子邮件）指导学生

④查看学生提交的作品

⑤在网上发布教学或者学习电子资源

⑥利用网络资源和平台开展网络研修

⑦利用网络平台与其他教师开展在线协作教研

⑧以上都不会

11. 您组织学生利用信息技术进行学习的方式有哪些？（多选）

①在课堂上利用信息技术进行授导式学习

②利用信息技术进行小组协作式学习

③利用信息技术进行探究式学习

④利用信息技术进行研究式学习

⑤利用信息技术进行自主式学习

⑥以上都没有

二、访谈提纲

1. 您的基本信息？（性别、年龄、教龄、职务职称）

2. 请您介绍一下您目前的主要工作（授课科目、每周课时、其他工作等）。

3. 您认为信息技术对教育的影响表现在哪些方面？

4. 当您在工作中遇到困难时，是否会第一时间想到使用信息技术解决问题？

5. 您觉得自己的信息技术能力如何？掌握了哪些常用的信息技术技能？

6. 请您介绍一下您使用信息技术进行教学的情况？（有没有使用信息技术进行备课授课，如果有，是如何运用这些技术的？用了哪些资源，从何而来？）

7. 您通过哪些途径参加了上级组织的教师信息技术能力培训？您觉得效果如何？对此您有哪些建议？

附录B　教师信息化素养调查问卷和访谈提纲（针对学校校长）

一、调查问卷

1. 贵校基本情况

教师数/人	班级数/人	学生数/人	占地面积/平方米	建筑面积/平方米

教师学历分布/人				教师年龄分布/人			
硕士及以上	本科	大专	中专及以下	≤25	25—35	35—50	≥50

教师类型分布/人数						学校有哪些功能教室（打√）		
	公办教师	民办教师	特岗教师	临聘教师	其他	化学实验室（）	舞蹈教室（）	图书室（）
中心校						生物实验室（）	音乐教室（）	阅览室（）
						物理实验室（）	计算机房（）	其他：

2. 贵校教育信息化基本情况

（1）贵校有______间计算机机房，全校共有______台计算机，其中教师办公用计算机______台，学生实验用计算机______台。有信息技术专任教师

______人。

（2）贵校网络接入带宽和出口带宽分别是______Mbps 和______Mbps。学校无线网络覆盖的区域有________________________________。

（3）贵校共有______间教室，其中装有电子白板、一体机或多媒体投影设备的教室有______间，能够连接外网的教室有______间。

（4）贵校是否建有以下系统或平台？

项目	已建	在建	未建
门户网站	□	□	□
微信公众号	□	□	□
校园一卡通系统	□	□	□
信息管理系统（如教务管理、排课管理、成绩管理等）	□	□	□
创客教室（如机器人教室、3D 打印等）	□	□	□
配备具有双向视频会议功能的会议室或教研室或教室	□	□	□
校本资源库（包括自主建设或购买）	□	□	□
数字图书馆	□	□	□

（5）您认为贵校教师信息技术能力的情况如何？

①绝大部分教师的信息技术能力比较弱

②大部分教师的信息技术能力比较弱，少部分教师的信息技术能力较强

③信息技术能力强和能力弱的教师大约各占一半

④大部分教师的信息技术能力较强，少部分教师的信息技术能力较弱

⑤绝大多数教师的信息技术能力较强

⑥不是太清楚

（6）贵校信息技术课堂教学应用情况如何？

①所有课堂教学不使用信息技术，仍然是传统的“黑板+粉笔+教科书”的方式。

②少部分课堂使用信息技术进行教学，大部分课堂不使用信息技术

③使用和不使用信息技术开展教学的课堂大约各占一半

④大部分课堂使用信息技术进行教学，少部分课堂不使用信息技术

⑤绝大多数课堂教学都使用信息技术进行教学

（7）贵校对教师信息技术培训的主要方式有：（可多选）

①国培　②省培　③校本培训　④信息技术设备厂家培训

⑤其他培训方式

（8）贵校在推进信息化的过程中面临的主要问题是：（可多选）

①教师缺乏使用的内在动力

②教师信息技术知识与技能不足

③教师没有足够的时间保障

④教师被动参与和接受任务，没有自主性

⑤学校领导班子重视程度不高

⑥资金、硬件、软件、技术支持不足

⑦缺少可参考的教学案例或其他资源

⑧学校和上级管理部门没有明确的激励性规定和措施

⑨升学率限制

⑩其他：______________________________

二、访谈提纲

1. 请您介绍一下贵校的整体情况（①基本情况：教师数、学生数、班级数、占地面积、建筑面积、实验室、舞蹈室、音乐室、图书室、阅览室、实验室等。②教师基本情况。③课程开设情况。④学生基本情况。）。

2. 请您介绍一下贵校教育信息化的基本情况（如网络建设、多媒体教室数、多媒体计算机数、信息技术课堂教学应用情况）。

3. 请您介绍一下贵校教师在信息技术能力方面的基本情况。

4. 请您介绍一下贵校课堂教学中信息技术使用方面的基本情况（使用了哪些信息技术、如何使用信息技术）。

5. 请您介绍一下贵校教师信息技术能力培训和研修方面的基本情况。

附录C　教师信息化素养调查问卷和访谈提纲（针对教育局）

一、调查问卷

1. 县办学基本情况

贵县有：______所学校，其中高中学校数有：______，职业中学数有：______，初中学校数有：______，小学校数有______，教学点数有______，1师1校数：______。

2. 教师情况

教师总数/人	各学历段教师人数		各年龄段教师人数		各类型教师人数		各职称教师人数	
	本科及以上		≥50		公办		特级	
	大专		40—50		特岗		高级	
	中专		30—40		民办		中级	
	中专以下		≤30		外聘		初级	

3. 学生情况

贵县学生总数是：______，其中高中生人数：______，职业中学生人数：______，初中生人数：______，小学生人数：______。

4. 信息化环境建设状况

<table>
<tr><th colspan="2">财政投入</th><th colspan="2">硬件设备</th><th colspan="2">软件/平台</th><th colspan="2">数字化教育资源</th></tr>
<tr><td>近3年财政总投入金额/万元</td><td></td><td>计算机台数（台）</td><td></td><td rowspan="2">教育管理平台</td><td rowspan="2">（名称）</td><td rowspan="3">购置了何种资源</td><td rowspan="3"></td></tr>
<tr><td>硬件投入总金额/万元</td><td></td><td>数字化校园数（所）</td><td></td></tr>
<tr><td>资源/平台投入总金额/万元</td><td></td><td>多媒体教室数（间）</td><td></td><td>教学平台</td><td>（名称）</td></tr>
</table>

续表

财政投入		硬件设备		软件/平台		数字化教育资源	
人员培训总金额/万元		录播教室数（间）		学习平台	（名称）	是否有自建资源	
		多功能会议室数（间）					
		数字化实验室数（间）					

5. 贵县的教师是否在教学中使用如下方式开展教学？（打√或×）

①在课堂上利用信息技术进行多媒体教学演示（　）

②在课堂上利用视频展示台等设备进行实物展示　（　）

③通过平台或者社交软件（如 QQ、微信、电子邮件）指导学生（　）

④在网上或者电脑上查看学生提交的作品（　）

⑤在网上发布教学或者学习电子资源（　）

6. 贵县的教师是否使用如下方式开展教研？（打√或×）

①利用网络资源和平台开展网络自主研修（　）

②利用信息技术与其他教师共同开展在线研修（　）

7. 您对贵县教育教师信息化素养的整体评价是：

①非常好（　）②比较好（　）　③一般（　）④不太好（　）⑤很差（　）

二、访谈提纲

1. 贵县制定了哪些教育信息化方面的政策文件和规章制度？

2. 贵县开展教育信息化建设总投入是多少？教育信息化财政投入的来源有哪些？

3. 贵县在用的教育信息化平台有哪些来源和类型？

4. 贵县教师队伍信息化素养整体情况如何？是否开展了教师信息化能力培训？是如何开展的？除此之外，还采取了哪些措施提升教师信息化教学能力？

5. 贵县数字资源来源和类型有哪些？有什么建设与应用举措？

后　记

最后，谨以对团队相关研究的总结与展望作为本书后记。

1. 总结

第一，信息化手段能够通过如下几种方式促进农村薄弱学校的发展。一是实现优质资源共享。例如，案例地区的适切性数字资源全覆盖、双轨制数字学校、有组织的 MOOC 模式和城乡互助双师模式都是通过优质教育资源的共享，帮助农村薄弱学校提高教育教学质量的。通过信息化手段，能够突破时空限制，实现优质资源的远程、实时和非实时的共享，让地处偏远的农村学校能够接触到优质的教育资源。其中，优质教师资源的共享起到了非常重要的作用。一方面，教师资源帮助农村教学点解决了课程开不齐、开不好的难题。另一方面，教师资源在促进农村薄弱学校教师专业发展方面发挥了重要作用。二是促进教师专业发展。四种信息技术应用模式都能够在一定程度上促进农村薄弱学校教师的专业发展。适切性数字资源能够帮助农村学校教师上好课，并提高其教学水平。双轨制数字学校下的同步课堂、有组织的 MOOC 视频以及城乡互助双师模式中的优秀教师授课视频，均能够让农村薄弱学校教师接触到优质教育资源，从而在教学理念、教学方法等方面对其产生积极影响，帮助其提高。三是提升教育管理水平。数字学校实质上是一种教育信息化建设的组织，能有效地帮助农村地区提升教育管理水平。另外，部分地区采用了教育信息化管理系统，也帮助这些地区提高了教育管理效率。四是提高教学质量。通过信息化手段，优秀教师能够通过同步课堂和 MOOC 为农村地区薄弱学校授课，对这些地区教学质量的提升起到积极作用。例如，咸安区、崇阳县、长白县等地通过采用同步课堂，中心校优秀教师可以通过网络直接给教学点学生上课，从而教学点学生也能够享受到优质的教师资源。五是加强家校联系。信息化社交工具软件的应用，在加强学校和家庭的联系方面发挥了积极作用。学生家长能够及时了解孩子在学校的状况，并能和教师建立联系，共同为孩子的成长创造良好的氛围。

第二，信息化在促进县域义务教育优质均衡发展方面还存在短板，表现在如下几个方面：一是基础设施建设还比较薄弱。受社会经济发展和教育投入的影响，相比东部沿海发达地区，我国中西部县域的教育信息化基础设施建设相对薄弱。二是数字化教育资源还不够丰富。数字化教育资源只有在实现共建共享的情况下，才能够真正在教学中发挥作用，教师才能够在教学中根据自身特点和教学需要使用并创造资源。目前，我国中西部地区的数字化教育资源建设已经取得了较大进展，但相对沿海发达地区来说，仍然比较薄弱，在满足广大教师教学需求、提高教学效果和教学质量方面仍然有较大提升空间。三是教师信息技术技能和应用水平仍需要继续提高。与发达地区相比，中西部地区的教师在信息技术应用技能和教育教学应用水平方面仍然存在差距，特别是农村薄弱学校和教学点的教师往往因为各种原因，在信息技术的应用方面与其他学校教师有一定差距。一方面，大部分教师对信息技术的掌握限于基本的应用；另一方面，信息技术课堂局限于教学信息的展示，而且这种展示更多的是基于以教师为中心的传统教学理念，即信息技术多用于讲授—接受式教学，或者授导式的教学模式，缺乏以学生为中心的、多样化的信息技术教学应用。然而，在东部沿海地区的优秀教师课堂中，以教师为中心的信息技术教学应用和以学生为中心的信息技术教学应用是同时存在的，且教师会根据实际教学需要选择合适的教学模式。

2. 展望

通过研究团队的调查研究，信息化促进县域义务教育均衡发展是可行的。未来，信息化手段在改善广大中西部地区学校的教育质量、促进薄弱学校发展、促进教师专业发展和学生发展等方面，仍然有较大的操作空间。展望未来，研究团队认为，信息技术在促进义务教育均衡发展方面将表现出与当下不同的特征。

第一，人工智能、大数据、物联网等新兴技术的应用会随着教育信息化的浪潮，被广大中西部地区接受，并在学校教育中发挥重要作用。这些技术支持的全新的教学模式、学习模式将更多地出现在中西部农村薄弱学校，帮助这些学校提高教学效率，改善教学效果，提升教学质量。第二，新兴信息技术的应用对学校和教师提出了更高的要求。学校需要在迎接信息技术浪潮的冲击时做好更加充分的准备，在校长信息化领导力培养、教师专业发展、课堂教学信息技术应用等方面有所行动，更好地让信息化手段服务于教学以及教育管理。